# Noviembre y un poco de yerba

———

## Petra Regalada

Letras Hispánicas

Antonio Gala

# *Noviembre y un poco de yerba*

———

# *Petra Regalada*

Edición de Phyllis Zatlin Boring

QUINTA EDICIÓN

CÁTEDRA

LETRAS HISPÁNICAS

© Antonio Gala
Ediciones Cátedra, S. A., 1993
Juan Ignacio Luca de Tena, 15. 28027 Madrid
Depósito legal: M. 28253-1993
ISBN: 84-376-0310-2
*Printed in Spain*
Impreso en Selecciones Gráficas
Carretera de Irún, km. 11,500 - Madrid

# Índice

# Introducción

# Nota preliminar

Quisiera expresar mi agradecimiento al dramaturgo Antonio Gala, y a su secretario Santiago Satorres Villagrasa, por su colaboración indispensable en la preparación de la presente edición. También reconozco con gratitud la ayuda del Consejo de Investigaciones de la Universidad de Rutgers y de Iride Lamartina-Lens y Michelle de Joie en la preparación del manuscrito. A mis colegas y amigos Ricardo Aguiar, Eladio Cortés, Conrado Guardiola, Jesús Gutiérrez, María Antonia Salom y Mitchell Triwedi les doy las gracias por sus atinadas sugerencias sobre el texto. A Bárbara Carballal, quien tanto me ha apoyado en todas mis investigaciones sobre teatro madrileño, quiero expresarle de una manera muy especial mi profundo agradecimiento, ya que sin su desinteresada cooperación este trabajo no hubiera llegado a su término.

P. Z. B.

# Crono-biografía de Antonio Gala[1]

## 1936

Nace Antonio Ángel Custodio Gala y Velasco en Córdoba el 2 de octubre. Es el cuarto de cinco hijos del médico Luis Gala Calvo y de María Adoración de los Reyes Velasco Gardo. Los Gala viven en una casa típicamente andaluza con patio y azotea, en un lugar céntrico de la ciudad. La familia es acomodada, y Antonio tiene una infancia feliz, protegido de la dura realidad tanto de la Guerra Civil como de la primera época de la posguerra. Sin embargo, años después dirá que la niñez y la

---

[1] Las fuentes principales para este estudio biográfico son las siguientes: Crescioni Neggers, Gladys, «Antonio Gala: Dramaturgo poeta», *La Estafeta Literaria,* núm. 586 (1976), págs. 8-10; Díaz Padilla, Fausto «El teatro de Antonio Gala». Resumen de la tesis doctoral. Universidad de Oviedo, 1975; Ferrada, Nora, «Érase una vez un niño... llamado Antonio Gala», *Míster,* 12 de julio de 1974, págs. 8-10; Gala, Antonio, «Prólogo» a *Un Congreso de Cultura Andaluza,* Córdoba, Unión Editorial Andaluza, 1978; Infante, José, «Antonio Gala», en *Gran enciclopedia de Andalucía,* fascículos 67 y 68, julio y agosto de 1980.

Quisiera expresar mi agradecimiento a Antonio Gala por el tiempo que me dedicó en entrevistas el 27 de octubre de 1979 y el 31 de mayo de 1980; a su secretario Santiago Satorres Villagrasa por su ayuda imprescindible en cuestiones bibliográficas, y a David M. Kirsner por haberme facilitado la larga entrevista recogida en magnetófono que tuvo con el dramaturgo el 11 de enero de 1977. Las citas de Gala en la crono-biografía, a menos que se indique otra fuente, son del prólogo a *Un Congreso de Cultura Andaluza.*

adolescencia están siempre llenas de dolores y su primer recuerdo es de un bombardeo de Córdoba cuando tenía sólo dos años de edad; es un episodio al cual hará alusión en sus obras dramáticas.

## 1941-50

Realiza los estudios primarios y medios en el colegio de La Salle de los Hermanos Maristas en su ciudad natal. El padre es intransigente en su deseo que los hijos estudien mucho; su gran orgullo es que obtengan el primer lugar en las calificaciones. Antonio es un alumno brillante que hace sus deberes de colegio con mucho gusto. Le complace la lectura y dedica mucho tiempo a leer y a soñar. También empieza a escribir. El primer cuento que escribe, la historia de un gato, le gusta tanto a su padre que le perdona un castigo.

Es una niñez marcada por el estudio y la disciplina paterna y por la pena intensa que causa la muerte. En el campo, donde veranea la familia, los niños tienen un gran danés que se llama Troylo. De pronto desaparece. Antonio se pone enfermo. Le ofrecen otro perro más bonito, pero el niño no quiere tener más perros que pueden formar parte de la vida sólo para romperse y alejarse. Cuando tiene nueve años, se le muere un compañero de clase. Entra a verlo, tan quieto y pálido, con la esperanza de que el pequeño amigo no haya muerto del todo como el perro. Aún más profundo es su dolor a la muerte del hermano mayor. Éste muere de meningitis en Madrid, donde cursaba el primer año de Medicina. Es la primogénita, única hija de la familia, quien les da la noticia a Antonio y al otro hermano pequeño. Cuando se da cuenta de la verdad, a Antonio le sobreviene un llanto terrible. Después de esta tragedia familiar, la madre se aleja algo de sus otros hijos y desde entonces Antonio tiene la sensación de que su hermana mayor es su verdadera madre.

## 1951

A los catorce años, Antonio Gala se presenta a un examen de Estado y va solo a la Universidad de Sevilla para ser examinado por los catedráticos. Le dan un premio extraordinario y le permiten entrar en la Universidad sin esperar la edad normal, dos años más tarde. Irónicamente, este gran triunfo académico del muchacho le merece la única bofetada de su padre. Cuando llaman a don Luis para comunicarle el resultado del examen de su hijo, Antonio está durmiendo. Entusiasmado por la noticia, don Luis entra enseguida en el dormitorio de su hijo. El muchacho se queja de haber sido despertado por una cosa de tan poca importancia, y el padre le da la bofetada. Aunque de niño Antonio quería complacer a su padre, poco a poco empieza a enjuiciar el hecho de que don Luis quiera triunfar de una manera tan decidida a través de sus hijos.

## 1951-57

El joven Antonio se matricula en la Universidad de Sevilla. Aunque quería ser arquitecto, ante la insistencia paterna, cursa la carrera de Derecho. A pesar de ello, se encuentra bien en Sevilla, a su parecer la ciudad ideal para vivir la adolescencia. Descubre allí su destino literario, escribiendo poesía y relatos. Funda y dirige la revista *Aljibe* en Sevilla y más tarde, con Gloria Fuertes y Julio Mariscal, la revista *Arquero de Poesía* en Madrid, donde lleva una vida bohemia.

Al principio del tercer curso de Derecho, el joven inquieto comienza simultáneamente dos carreras más: Filosofía y Letras (en la especialidad de Historia) y Ciencias Políticas, ambas por libre y en Madrid. Finaliza las tres licenciaturas, creyendo que hay que saber muchas cosas para ser escritor. Efectivamente, sus profundos conocimientos de historia y de ciencia política le serán de gran utilidad en su futuro oficio. No obstante las tres carreras, recordará de sus años universitarios que quería estudiar otras dos: Arquitectura y Medicina, ésta no para ejercerla, sino sólo para aprenderla.

## 1957-58

A los veintiún años, finalizadas ya las tres licenciaturas, Gala comienza a preparar oposiciones al Cuerpo de Abogados del Estado. La decisión de abandonar su vida de bohemia en Madrid y dedicarse al estudio solitario de Derecho no es suya, sino de su padre. En su aislamiento, el joven se concentra más y más en sí mismo, dedicándose a la poesía. Escribe *Enemigo íntimo,* «La deshora», y «El desentendido». En el segundo ejercicio de las oposiciones, sufre una crisis psíquica y se retira de los exámenes. Inmerso en su propio mundo poético y espiritual, no puede aceptar la posibilidad de salir bien en las oposiciones, ganando un puesto que no quiere tener. Busca refugio en la Cartuja de Nuestra Señora de la Defensión de Jerez.

Permanece Gala un año en la Cartuja donde recobra su serenidad en aquel ambiente de silencio y paz. Piensa quedarse allí, pero sus superiores estiman que su sitio está en el mundo de fuera y le aconsejan salir del convento.

## 1959

Buscándose siempre a sí mismo, Gala desempeña varios oficios: camarero, peón de albañil, repartidor de pan. Decide regresar a Madrid, donde enseña Filosofía e Historia del Arte en algunos colegios. Otra vez entra en la vida bohemia de escritor. Escribe «El cuarto oscuro» y otros relatos. Su primera colección de poesía, *Enemigo íntimo,* obtiene el accésit del Premio Adonais. Empieza sus colaboraciones periodísticas, publicando en *Arriba* una serie de artículos sobre política internacional. *En torno a las bebidas nacionales.*

## 1960

Sigue ganándose la vida con sus actividades docentes y artísticas mientras escribe poesía. Dirige el Instituto «Vox» de Cultura e Idiomas y, con Eduardo Llosent Marañón, la Galería Mayer de Arte. Aparece la edición de *Enemigo íntimo.*

## 1961-62

Funda y dirige la Sala Arte-Club El Árbol en Madrid, marchando poco después a Florencia donde vive un año. En Italia continúa su interés en el arte. Allí dirige la Galería La Borghese. En *Cuadernos Hispanoamericanos,* publican su poema «La deshora».

## 1963

Es un año decisivo en la vida personal y profesional de Gala.

Al saber en febrero que su padre sufre de una enfermedad grave, Gala deja la galería de arte en Italia para volver al hogar paterno. Cuida de don Luis de una manera abnegada. Al morir éste el 10 de mayo, el hijo pasa unas semanas de gran depresión. En 1978, Gala hará una comparación entre «su sensación de orfandad y hostilidad» al desaparecer «una venerada omnipotencia» con la de España a la muerte de Franco. Había luchado contra la voluntad de su padre. Sin embargo, al encontrarse libre e independiente, también se encuentra desamparado y desolado. Siente la obligación de elegir su propia vida:

> En adelante no actuaría yo por delegación de nadie, sino como yo mismo; en adelante había de aspirar a ser más *yo mismo* cada día. Y, ¿qué era eso? Cuánta confusión...

Al volver de Italia, Gala recibió el Premio Las Albinas por su relato *Solsticio de invierno*. Entonces, el 13 de julio, le sorprende el Premio Nacional Calderón de la Barca. Sin que el joven escritor lo supiera, sus amigos Félix Grande y Paca Aquirre habían presentado su pieza *Los verdes campos del Edén*. El camino de Gala ya está decidido y se dedica exclusivamente a la literatura. A partir de este momento, tiene un concepto muy claro de su destino:

> Había nacido escritor. No quería ser escritor. Es el oficio más incómodo del mundo... como una carrera de caballos en que no se sabe dónde está la meta ni a dónde va ni para quién [2].

Cuando entra de improviso en el mundo del teatro, deja sin terminar una novela, *Interminablemente bajo el cesto,* que estaba proyectando como intento de literatura total y, efectivamente, abandona por fuerza la literatura como placer, como expresión íntima.

> La literatura me asaltaba. Los humildes refugios del poema, del cuento, del ocio creativo se vieron conquistados por tropas enemigas... El público y la crítica meterían sus narices pluriformes e inagotables en cuanto yo escribiera desde ahí.

Bajo la dirección de José Luis Alonso, *Los verdes campos del Edén* se estrena en el María Guerrero el 20 de diciembre. Es un gran éxito de público y, con contadas ex-

---

[2] Entrevista personal, 31 de mayo de 1980.

cepciones, de crítica. En el mundo teatral se comenta la llegada de un nuevo autor que promete mucho para el futuro de la escena española:

> En los años de posguerra... sólo en cuatro ocasiones precedentes fue posible lanzar tal augurio con idéntica seguridad: en los estrenos de *Historia de una escalera, Escuadra hacia la muerte, El grillo y La camisa*[3].

Se cierra el año con otra experiencia de suma importancia en la vida del nuevo dramaturgo. El 29 de diciembre, «de un modo súbito, como la luz de un camino de Damasco», se descuelga el amor sobre sus hombros. Contará que el enamoramiento

> fue mucho más que un flechazo: fue un disparo en la sien, un modo repentino de morir y renacer a otro mundo recién inaugurado, ileso, limpio, en el que todo recordaba lo que había sido y todo era distinto.

Todo el resto de la década de los 60 y hasta que la muerte intervenga en los 70, Gala encontrará la felicidad personal en la vida compartida con la persona amada.

## 1964

*Los verdes campos del Edén* permanece en la cartelera madrileña durante meses y llega triunfalmente a los escenarios de provincias y de América Latina. A las cien representaciones en Madrid, Alejandro Casona dirige a Gala una carta abierta en la cual elogia el humor, la poesía y la ternura de su obra, tan lejos del mal llamado realismo en boga. Estalla una polémica entre críticos que deja al joven dramaturgo clasificado como conservador.

---

[3] Juan Emilio Aragonés, *Teatro español de posguerra*, Madrid, Publicaciones Españolas, 1971, pág. 77. Los autores de las obras mencionadas son, respectivamente, Antonio Buero Vallejo, Alfonso Sastre, Carlos Muñiz y Lauro Olmo.

En *Cuadernos Hispanoamericanos* publican su relato *La compañía*.

## 1965

La actividad literaria de Gala sigue varias líneas simultáneas. *Los verdes campos del Edén* recibe el Premio Çiudad de Barcelona. En marzo, sale en *Cuadernos Hispanoamericanos* el último poema que publica Gala, «Meditación en Queronea». El 27 de abril, estrenan en el Teatro Español su versión de *El zapato de raso* de Paul Claudel. En el campo ensayístico, publica *Córdoba para vivir*.

## 1966

El 9 de enero, con un reparto encabezado por Julia Gutiérrez Caba y dirigido por José Luis Alonso, se estrena en el María Guerrero la segunda obra teatral original de Gala, *El sol en el hormiguero*. La pieza había sufrido ya ochenta y tantos cortes por parte de la censura, pero, a raíz de la reacción entusiasta de un público estudiantil, es retirada del cartel a los quince días. La izquierda proclama a un nuevo autor y la derecha llama al dramaturgo «hijo mal nacido y desgraciado»[4]. El propio escritor se declara independiente, insistiendo en que no ha cambiado su visión del mundo entre una obra y otra: «Ni cuando estrené *Los verdes campos del Edén* era José Antonio Primo de Rivera, ni ahora soy la "la Pasionaria".»

Empieza sus colaboraciones en la «Tercera Página» de *Pueblo* y se marcha a los Estados Unidos, donde pasa el otoño dictando conferencias y dando clases en la Universidad de Oklahoma (Norman). Es el amor lo que le hace soportable su estancia en el triste ambiente académico

---

[4] Entrevista con Kirsner.

del Medio Oeste. Escribe los primeros *Sonetos de la Zubia.*

## 1967

Se traslada a la Universidad de Indiana (Blooming-ton). Echando de menos su país y el lenguaje popular español, se refugia en la creación de *Noviembre y un poco de yerba.* Cuando termina el curso, va a Puerto Rico, donde resucita. Le encanta el vocabulario regional e irá introduciendo palabras caribeñas en sus futuras obras.

Sigue su colaboración en *Pueblo,* escribiendo una serie de cartas norteamericanas además de sus artículos de la «Tercera Página». De vuelta a España, escribe una serie de 26 guiones para la televisión, *Al final, esperanza.* Es una serie muy dentro de las fórmulas aceptables en Televisión Española.

El 14 de diciembre, *Noviembre y un poco de yerba* se estrena en el Teatro Arlequín, bajo la dirección de Enrique Diosdado. La comedia es un fracaso, a pesar del apoyo entusiasta de algunos críticos.

## 1968

En París, la compañís de Pierre Andreu presenta una lectura de *El sol en el hormiguero* en el Théâtre Mouffetard, pero en España, Gala sigue alejado del escenario. Para TVE, prepara adaptaciones de *El Rey Lear, Ricardo III* y *Romeo y Julieta* de Shakespeare; *Las troyanas* de Eurípides, y *El burgués gentilhombre* de Molière. Utilizando su profundo conocimiento de la historia española, escribe dos guiones conmemorativos: *Eterno Tuy* y *Oratorio de Fuenterrabía.* Colabora en dos guiones cinematográficos: *Digan lo que digan* y *Esa mujer.* Estas películas, que dirige Mario Camús, están dentro de la corriente de caracterizaciones y situaciones estereotipadas del cine español de la época. Crea el núcleo más importante y válido de los *Sonetos de la Zubia,* poesía inéditas.

## 1969

Colabora Gala en un tercer y último guión cinematográfico, la adaptación de *Pepa Doncel* de Benavente. En la televisión, prepara algunos guiones para «Pequeño Estudio» a los cuales es otorgado el Premio Nacional de Guiones. Un tercer guión conmemorativo, *Auto del Santo Reino,* continúa en el cambio histórico que marcará su más importante obra televisada. El 18 de mayo vuelve al teatro con su versión de *Un delicado equilibrio,* de Edward Albee, en el Teatro Español.

## 1970

Para la televisión, comienza a escribir una serie de trece guiones, *Las tentaciones.* En la Real Colegiata de Santo Tomás de Ávila, patrocinada por TVE, se estrena su obra conmemorativa *Retablo de Santa Teresa.* Es un gran espectáculo, realizado por Roberto Carpio, en el cual intervienen más de 70 actores y actrices y 150 figurantes. Al final de abril sale un tomo en la colección El Mirlo Blanco, de Taurus, dedicado al teatro de Gala. El 20 de diciembre vuelve a estrenar una obra teatral original con su pieza de café-teatro, *Spain's Strip-Tease* en el King Boite Teatro.

## 1971

*Spain's Strip-Tease* recibe el Premio Foro Teatral. Gala termina la serie televisiva *Las tentaciones* y, en la línea de las conmemoraciones, escribe *Cantar del Santiago paratodos* para el Año Santo Jacobeo.

## 1972

Es otro año decisivo en la vida profesional de Gala. El 10 de octubre, tras breves rodajes en Badajoz y Córdoba, se estrena en Madrid *Los buenos días perdidos,* en el Teatro Lara. La obra, dirigida por José Luis Alonso, permanece en cartel más de 500 representaciones y gana el Premio Nacional de Literatura, el Premio del Espectador y la Crítica, el Premio Mayte, el Premio Ciudad de Valladolid y el Premio Foro Teatral. Durante ésta y las tres temporadas que siguen, Gala tendrá un lugar dominante en los escenarios de la capital.

Abandonando la corriente de sus dos primeras series televisivas, en los guiones de *Si las piedras hablaran* el escritor sigue el camino indicado por sus conmemoraciones:

> Un camino con el que deseaba contar a mi pueblo su Historia como yo la veía: sin obeliscos, ni lápidas, ni bronces: próxima y nuestra[5].

## 1973

Por *Si las piedras hablaran,* Gala recibe el Premio Quijote de Oro, el Premio Antena de Oro y el Premio Nacional de Guiones. En febrero empieza a publicar en *Sábado Gráfico* la serie *Texto y pretexto;* es una colaboración que durará más de cinco años. Como resultado de estas actividades, el escritor se convierte en un personaje tremendamente popular que recibirá hasta 2.000 cartas semanales, dirigidas a la revista.

En medio del triunfo profesional, sufre un resquebra-

---

[5] «Presentación» a *4 Conmemoraciones,* Madrid, Ediciones Adra, 1976, pág. 7.

jamiento de su salud. Durante una grave operación por una perforación del duodeno, está muerto clínicamente diez horas. La convalecencia es dura y las secuelas de la operación contribuyen a que su vida sufra cambios. Nunca muy amigo de una existencia pública y agitada, a partir de esta época lleva una vida cada vez más reclusiva, prefiriendo estar tranquilo en su piso de la colonia del Viso en lugar de salir a la calle o recibir a mucha gente. También deja de hacer viajes largos y empieza a usar bastón.

Gala declara que le horroriza el ambiente del teatro, aunque le gusta escribir teatro. A pesar de la operación se dedica enérgicamente a este trabajo. En junio, termina de escribir *¡Suerte, campeón!,* obra panorámica que trata, desde una perspectiva crítica, treinta años de la posguerra. Manda el manuscrito a la censura y hace los cortes que piden. Sin embargo, en vísperas del estreno, en septiembre, la obra está prohibida.

El 28 de septiembre, tras cierta demora otra vez por cuestiones de censura, se estrena en el Teatro Eslava *Anillos para una dama.* Dirigida por José Luis Alonso, permanece en cartel más de 500 representaciones y gana el Premio del Espectador y la Crítica, el Premio Ciudad de Valladolid, el Premio Radio España, el Premio Carrusel, el Premio Marathón de Radio Popular, el Premio Foro Teatral y el Premio María Rolland. Tanto en el extranjero como en España, será el gran éxito de Gala.

En septiembre, *Los buenos días perdidos,* a raíz de una gira provincial, llega a Barcelona. En versión de Gala, el 2 de diciembre estrenan en el Teatro de la Comedia *Canta, gallo acorralado* de Sean O'Casey.


## 1974

Siguen los triunfos teatrales de Gala a un ritmo creciente. Algunos críticos de la izquierda empiezan a atacar su obra por ser «burguesa».

El 12 de abril reponen en el Reina Victoria *Los buenos días perdidos*. El 17 de septiembre marca la reposición de *Anillos para una dama* en el Teatro Cómico. Dos días después se estrena en el Teatro de la Comedia, siempre bajo la dirección de Alonso, *Las cítaras colgadas de los árboles*. La nueva obra permanece en cartel más de 500 representaciones y cada reposición más de 100. En diciembre, *Las cítaras colgadas de los árboles* tiene su estreno barcelonés.

## 1975

Gala mantiene su lugar en el teatro de la ciudad condal. La reposición de *Los buenos días perdidos* es en febrero y el estreno barcelonés de *Anillos para una dama* en septiembre.

El 17 de octubre se estrena en el Reina Victoria *¿Por qué corres, Ulises?*, obra que el dramaturgo ya había proyectado desde hace años. El director es Mario Camús y el reparto está encabezado por actores tan conocidos como Alberto Closas y Mary Carrillo, quien había aparecido anteriormente en *Los buenos días perdidos*. Por una casualidad sociológica, la actriz que atrae casi toda la publicidad es Victoria Vera. En vísperas del estreno de la comedia de Gala, la censura decide permitir el desnudo por primera vez para la versión española de *Equus*. Contra la voluntad del autor, se aprovechan de la nueva libertad para introducir el destape en *¿Por qué corres, Ulises?* La obra permanece en cartel más de 600 representaciones, pero los críticos atacan el texto, atribuyendo el éxito comerical al desnudo pectoral de Victoria Vera. Ella está amenazada de muerte e incluso recibe un paquete incendiario. Gala se retirará del teatro y no volverá a estrenar hasta febrero de 1980, cuando la escena madrileña haya recobrado cierta normalidad.

En adaptación del propio autor y de Miguel Rubio, se rueda la versión cinematográfica de *Los buenos días per-*

*didos.* Escribe *Carmen Carmen,* obra musical con partitura de Antón García Abril.

## 1976

La muerte de Franco en noviembre de 1975 y la transición a la democracia no garantizan la libertad de expresión. En enero, Gala empieza a presenta en TVE una nueva serie histórica, *Paisaje con figuras.* La serie ganará el Premio Medios Audiovisuales, pero está suspendida después de los tres primeros capítulos. En abril no se permite emitir el episodio «El doncel de Sigüenza», sin que Gala sepa la razón de la prohibición.

Tampoco sale ileso su trabajo periodístico de la nueva ola represiva. En mayo, *Sábado Gráfico* publica, en el número 988, un artículo satírico de Gala sobre las viudas. Refiriéndose no a las viudas materiales, sino a las institucionales, el autor afirma que ya no hay ni franquistas ni anti-franquistas: «muerto el perro, se acabó la rabia.» Sin embargo, puede haber «gente que se pretenda disfrutar de pensiones, beneficios, montepíos y sinecuras dados por un difunto». A esta gente Gala recomienda que se prendan fuego como las viudas de la antigüedad para mostrar su fidelidad. También ataca al presidente Arias Navarro por haber suspendido *Paisaje con figuras.*

El número de *Sábado Gráfico* es secuestrado y Gala empieza a recibir amenazas de muerte. El 24 de mayo le entregan al escritor un auto de procesamiento por «hechos que revisten caracteres de delito contra las Leyes Fundamentales». El mismo día, Gala le escribe a Manuel Fraga Iribarne, ministro de la Gobernación, pidiendo protección personal. Al día siguiente, Gala sale para Murcia donde va a participar en una mesa redonda. A las 12,20 de la mañana del 26 de mayo, en la redacción de *Sábado Gráfico,* reciben la noticia que Gala ha sido asesinado. Los amigos tardan horas en localizar al escritor y así desmentir la noticia. Gala lamenta la situación del país que permite que «un rumor de este tipo haya podido resultar verosímil»[6].

*Sábado Gráfico* recoge los artículos de la serie *Texto y pretexto* y los publica en una edición de lujo. Con «Los ojos de Troylo», de esta misma serie gana el Premio César González Ruano. Por fin *¡Suerte, campeón!* tiene la luz verde, pero Gala decide no estrenarla, ya que el franquismo ha desaparecido.

## 1977

*Texto y pretexto* sale en una segunda edición en rústica. Gala mantiene su silencio en los escenarios madrileños. Durante tres temporadas se dedica a otras actividades que, desde la situación de España, le parecen

> más desguarnecidas, más directas, más gratificantes, más de acuerdo con la sociedad española que gustamos de llamar nueva: la televisión, el artículo, el ensayo, las actividades culturales en general[7].

Entre mayo y agosto aparece en la revista *Repórter* su sección *Verbo transitivo*. Desde septiembre hasta el 3 de enero de 1978, la sección *El color de las hojas* se publica en *Primera Plana*.

## 1978

Se dedica al periodismo. Entre enero y marzo escribe una serie de artículos, *Citas históricas,* para *La Actualidad Española*. Su colaboración en *Sábado Gráfico* llega a su fin en julio. A partir de octubre, *El País,* en su suplemento dominical, publica la sección *Verbo transitivo*.

---

[6] Juan Carasa, «La muerte de Antonio Gala: Historia de una noticia que no sucedió», *Sábado Gráfico,* 2 al 8 de junio de 1976, pág. 19.

[7] Zatlin Boring, «Encuesta sobre el teatro madrileño de los años 70», *Estreno,* tomo VI, núm. 1 (1980), pág. 14.

## 1979

La sección *Verbo transitivo* sigue hasta mayo. En julio empieza otra sección para el suplemento dominical de *El País, Charlas con Troylo*.

## 1980

Este año señala la vuelta de Gala al mundo teatral. Estrena *Petra Regalada* en el Teatro Príncipe el 15 de febrero. Aunque la opinión crítica está algo dividida, la reacción del público es entusiasta y la obra sigue en cartel hasta el final de la temporada. El 3 de octubre marca el estreno en el Teatro Reina Victoria de Madrid de *La vieja señorita del Paraíso*.

Sale en TVE la continuación de *Paisaje con figuras*.

El 29 de octubre muere Troylo, fiel compañero y musa de Gala; la serie de charlas con su perro finaliza el 16 de noviembre y se inicia una nueva sección en el dominical de *El País, En propia mano*.

## 1981

*La vieja señorita del Paraíso* sigue en cartel. El 13 de febrero, en Nueva York, se estrena *Anillos para una dama* en Nuestro Teatro. Representada en español, la obra sigue en cartel hasta abril. A *Petra Regalada* le otorgan el premio Sambrasil a la mejor obra de teatro de autor español del año 80.

# El teatro de Antonio Gala

## JUICIOS DEL AUTOR

Antonio Gala empezó su carrera literaria como poeta y cuentista. Después logró gran fama nacional por su trabajo televisivo y periodístico. Así no es de extrañar que no se considere principalmente un dramaturgo.

> Yo soy un *escritor* que escribe, a veces, teatro: no un hombre de teatro[1].

Efectivamente, ha declarado que el mundo teatral le horroriza:

---

[1] Gala ha repetido con frecuencia sus opiniones sobre el teatro español en general y sobre su propio teatro. El lector interesado puede consultar las conferencias y entrevistas citadas en la bibliografía. Las fuentes principales del comentario que sigue son mis entrevistas personales con el autor en 1979 y 1980; las ya mencionadas entrevistas de Crescioni, Neggers y Kirsner; el «Prólogo» de Gala a *Un Congreso de Cultura Andaluza;* su respuesta a la «Encuesta sobre el teatro madrileño de los años 70»; «Coloquio» de autores en *Teatro español actual,* Madrid, Fundación Juan March y Cátedra, 1977, págs. 119-135; Gala, conferencia sobre teatro español actual, Spanish Institute de Nueva York, 24 de abril de 1979; Eduardo Huertas, «Antonio Gala, el intento autónomo de la realización humana», *Ya,* 22 de abril de 1973; Patricia W. O'Connor y Anthony M. Pasquariello, «Conversaciones con la Generación Realista», *Estreno,* tomo II, núm. 2 (otoño de 1976), páginas 27-28.

> Me encuentro cómodo escribiendo teatro, pero no me gusta el ambiente de camerinos y ensayos.

Confiesa que sólo va a los estrenos de sus obras y a tomar uvas con los actores la Nochevieja. A pesar de este alejamiento de los escenarios, Gala ha llegado a ser uno de los autores más importantes de la escena española contemporánea y, para algunos críticos y numerosos espectadores, el que más promete para el futuro del teatro en España. Por otra parte, en sus ensayos, conferencias, y entrevistas, se ha mostrado como un teórico con un concepto preciso de teatro en la época actual y del lugar de su propia obra en este contexto.

Según Gala, el hecho de ser poeta y literato no es una desventaja para un dramaturgo. Suele subrayar que dos grandes autores teatrales españoles del siglo XX, García Lorca y Valle-Inclán, fueron poetas. Se juzga el gran defensor de la primacía de la palabra en el teatro y del teatro como género literario. Desprecia la carpintería teatral y la tendencia a dejar el teatro en manos de seudoescritores que hay en España. Aunque admite que no sabe precisamente qué es un teatro popular, su actitud no es elitista: «Pueblo somos todos.» Cree que su propio verbalismo o «verbolatría» (adoración de la Palabra) es una clara indicación de su origen andaluz:

> Es un pueblo mediterráneo, es un pueblo latino al límite, y hacer y escribir de otra manera sería traicionarme a mí mismo.

El pueblo andaluz tiene un nivel cultural que hace asequible al espectador medio un teatro expresivo y poético. Por consiguiente, el escritor cordobés rechaza el tópico crítico que tacha su obra de «burguesa» y «antiteatral».

De igual modo Gala defiende la vertiente humorística de sus piezas. Pregunta por qué el «gran teatro» no puede ser entretenido, afirmando que lo contrario de «lo divertido» no es «lo serio», sino «lo aburrido». El teatro no debe ser sólo para la minoría, aunque no todo el público capte al cien por cien las intenciones más profundas del autor.

El español entiende mucho más el sentido de humor diagonal que un razonamiento que da la vuelta alrededor de la mesa.

Cuando un dramaturgo quiere decir algo, lo quiere decir al mayor número de gente posible. Por eso no debe pasar por alto ni la comedia ni la televisión, medios de comunicación con el gran público.

El mensaje del dramaturgo no debe ser abiertamente político, es decir, propagandístico, sino sociológico. Un teatro político que es documental, que se refiere a circunstancias políticas concretas, que apoya un partido en lugar de otro, trasciende menos en el tiempo que un teatro sociológico que se limita a ser un dedo índice que señala donde está el mal. Gala prefiere ser un francotirador que presenta la historia y la sociedad desde una perspectiva crítica, que el partidario de una ideología específica. Aunque reconoce la responsabilidad del escritor como testigo y cree que el teatro es siempre trasunto de la sociedad espectadora, le parece que el dramaturgo tiene muy poca influencia social: «El teatro es un diagnóstico, no un cirujano.»

Por su actitud crítica ante la sociedad española, Gala ha sido clasificado como benjamín de la llamada Generación Realista. Es una categorización a la que él mismo se resiste, indicando no sólo que no es partidario de las generaciones literarias en general, sino que tal Generación Realista es de dudosa validez. Hace notar que se habla del realismo reivindicativo de Olmo, del realismo sensual de Martín Recuerda, del realismo reformista de Rodríguez Boded, del realismo expresionista de Muñiz, del realismo sarcástico de Rodríguez Méndez, y del realismo irónico o mágico de su propia obra.

En tales denominaciones, acaba el adjetivo para alcanzar mayor valor que el sustantivo. Eso lleva a concluir que más que de una generación con coincidencias artísticas o estéticas, se trata de una generación con unas coincidencias éticas.

Los autores han visto la misma realidad, pero sus modos de contarla son personales e intransferibles. Lo importante no es lo que cuentan, sino cómo lo cuentan.

Gala mismo no se considera tan realista, pero tampoco cree que el teatro de evasión sea lo contrario del teatro realista. Como vehículo de su comentario sobre la realidad española, ha escogido un lenguaje poético y un fondo alegórico o histórico:

> Si, por ejemplo, yo he vuelto a veces la cara hacia la historia, no es por tratar un hecho pasado simplemente, sino porque su vaivén secular siempre enriquece su tema: lo distancia y lo acerca al mismo tiempo, lo subraya, lo multiplica. Y, en cuanto a la alegoría, el arte no tiene por qué ser inmediato, directo: puede hablar como se le antoje, haya o no censuras.

Durante los años de censura oficial, Gala decidió quedarse en España rehusando el exilio como solución a la falta de libertad de expresión. Por consiguiente, para poder estrenar tuvo que volver la espalda a temas que le apasionaría tratar:

> No soy hombre a quien le guste guardar comedias en un cajón, ni siquiera tengo cajón donde guardarlas.

A pesar de su decisión de restringirse —aunque siempre con un esfuerzo consciente de llegar hasta el límite de lo permitido—, no evitó problemas serios con la burocracia. La censura prohibió del todo *¡Suerte, campeón!*, comentario sobre la época franquista. Igualmente retiraron de la escena su obra alegórica *El sol en el hormiguero* y de la pantalla su serie histórica *Paisaje con figuras*. Para el escritor cordobés hay varias formas de censura y no todas han desaparecido con el cambio de gobierno. Además de la censura administrativa, hay la de la sociedad y la autocensura del autor mismo. Peores aún son los efectos duraderos de los años de miedo y restricciones. Ni la generación de Gala ni la anterior.

han conocido lo dionisíaco de la creación, lo verdaderamente orgiástico y orgásmico de la creación, lo que es crear en la desnudez, como quien ama, sin prejuicios, en la resplandeciente libertad...

No sabe si los escritores de su generación pueden recuperarse.

Sintiéndose profundamente español —y andaluz— Gala sólo vive feliz en su propio país. De igual modo, su teatro muestra fuertes raíces nacionales, casi siempre de una temática española. Según el autor, esta tendencia no es necesariamente contraria a la universalidad.

Lorca habla de la Andalucía que conoce y Valle habla de la Galicia que conoce, y son precisamente ellos los que mejor han reflejado la imagen de España ante el mundo.

No cree que ningún autor se siente nunca a escribir una pieza de carácter universal, pero quizá al escribir de lo local, de la realidad que más conoce, llegue a lo universal. De todos modos, Gala rechaza la imitación de modelos extranjeros, «el esperanto teatral».

Los juicios de Gala sobre teatro son de una constancia admirable. Desde sus primeras entrevistas en 1963 hasta las más recientes, sigue fiel a los mismos conceptos. Asimismo, hay una unidad sorprendente en la trayectoria de sus obras para la escena y las más importantes para la televisión, unidad que en muchos casos ha pasado desapercibida por la crítica.

Aunque la temática del teatro de Gala varía relativamente poco a través de los años, en su manera de acercarse a ella ha experimentado con diversas tendencias teatrales. En su etapa inicial, creó un teatro antinaturalista y abiertamente alegórico. Su primera obra, *Los verdes campos del Edén,* reúne algunos elementos realistas con un plano expresionista. La acción de las dos obras editadas que la siguen, *El caracol en el espejo* y *El sol en el hormiguero,* transcurre en un plano puramente alegórico. Aparentemente, dos piezas inéditas de esta misma época, *La Petenera* y *La Cenicienta no llegará a reinar,* también están en la línea metafórica y mitológica[2]. Ésta analiza una situación moderna al usar tipos e imágenes de la literatura infantil. Aquélla es una tragedia simbólica que incorpora ballet y una partitura musical de Antón García Abril.

Los verdes campos del Edén: *La yuxtaposición*
  *del realismo poético y la alegoría*

Desde el punto de vista estructural, *Los verdes campos del Edén* es distinta al teatro posterior de Gala, pero, con respecto a su temática, introduce preocupaciones que se repetirán en casi todas sus obras: la lucha del individuo contra la autoridad, el amor como fuerza redentora, la búsqueda del paraíso, la falta de libertad y justicia en un mundo deshumanizador. Lejos de ser conservadora y «casoniana» como se decía en la polémica que estalló a raíz del estreno, es en el fondo una obra de crítica social, co-

---

[2] El autor incluyó estos dos títulos en la lista de teatro que se publicó en varias ediciones de obras suyas, pero ya no los considera importantes. José Monleón tuvo la oportunidad de leer los manuscritos hace años y los comenta brevemente en su estudio «Gala: poesía y compromiso», en la antología *Antonio Gala,* ed. José Monleón, Madrid, Taurus, 1970, págs. 36-37.

mo bien hizo notar el dramaturgo José María Rodríguez Méndez:

> Cuando Antonio Gala inició su teatro con *Los verdes campos de Edén,* que fue obra saludada como continuación de filigranas poéticas, como juego evasivo y literario muy del gusto de nuestro público habitual, no hubiera sido difícil al sagaz crítico observar que detrás de los chispeantes diálogos entre vagabundos y prostitutas, enterradores y niñas sentimentales, había todo un entramado de ironía realista, para destruir la aparente fábula sentimental y poética[3].

El único escenario fijo de la pieza tiene dos niveles. Está dividido transversalmente con un cementerio en la parte superior y un panteón de seis cuerpos en la parte inferior. La acción transcurre en dos niveles no sólo en este sentido literal y visual, sino también en cuanto al tono y al realismo. Las escenas que se representan en este escenario fijo pretenden cierta verosimilitud; aunque Gala nunca escribe drama psicológico, en este plano «realista», los personajes en general son seres humanos con quienes los espectadores pueden identificarse. Es aquí donde Juan, el forastero que llega con un mensaje esperanzado y redentor, trata de fundar un refugio lleno de amor y ternura para unos desamparados. En el ambiente, el diálogo y la caracterización predominan elementos poéticos y sentimentales y una corriente de simbolismo cristiano.

Entre el plano de realismo poético y las escenas que transcurren fuera de éste hay un contraste notable. El otro plano es expresionista y alegórico; en lugar de requerir un escenario fijo que crea la ilusión de ser «real», el montaje es teatralista (anti-ilusionista) y los personajes tienden a caricaturas o tipos abstractos. Entre éstos se destaca el alcalde (representante de un gobierno burocrático, deshumanizador y represivo), quien habla con orgullo de su propia importancia, de la paz y de sus estadísti-

---

[3] Rodríguez Méndez, «Antonio Gala y su realismo irónico», en *Antonio Gala,* pág. 46.

cas. Su lema «Todo por la ciudad» es una transformación obvia de «Todo por la patria», igual que su «paz» es la paz de la época franquista. En yuxtaposición con su actitud oficial está el ambiente de pobreza, miseria y degradación evocado por los otros personajes. En estos episodios, con su sátira amarga y su visión de un mundo absurdo, Gala no dista mucho del expresionismo de Carlos Muñiz en *El tintero* o *Las viejas difíciles,* obras también del principio de los 60, o de las obras que empezaban a escribir los llamados «nuevos autores», es decir, la vanguardia[4].

En su teatro maduro, Gala maneja siempre dos planos: el superficial, en que cuenta la historia de unos individuos, y el más profundo, en que presenta su crítica, sea de la sociedad española, sea del mundo actual, pero sólo en *Los verdes campos del Edén* visualiza y separa estos dos planos en vez de fundirlos en una misma acción. Aparentemente es esta separación lo que explica alguna crítica negativa de la obra. Sin embargo, un análisis estructuralista de esta tragicomedia revela que los dos planos están cuidadosamente interrelacionados y que un solo concepto subraya toda la obra[5]. El propósito incongruente de Juan de vivir bajo tierra en el panteón cabe perfectamente dentro del ambiente creado por las escenas anteriores, a la vez que la respuesta del guarda: «Para venir aquí a descansar se tiene usted que morir primero»[6], refuerza la crítica social implícita en la obra.

---

[4] En el estreno, Enrique Llovet encontró «sombras» de Becket, Ionesco, Berlanga, Audiberti y Valle-Inclán, es decir, del teatro del absurdo y del esperpento. La reseña está transcrita en F. C. Sainz de Robles, ed., *Teatro español, 1963-1964,* Madrid, Aguilar, 1965, páginas 183-185.

[5] Para una explicación del análisis estructuralista del drama, véanse Jackson G. Barry, *Dramatic Structure. The Shaping of Experience,* Berkeley, Los Ángeles, Londres, University of California Press, 1970; Richard Hornby, *Script into Performance: A Structuralist View of Play Production,* Austin, University of Texas Press, 1977, y Paul M. Levitt, *A Structural Approach to the Analysis of Drama,* La Haya, Mouton, 1971.

[6] *Los verdes campos del Edén,* Madrid, Espasa-Calpe, 1975, página 31. Otras citas son de esta edición y se indicarán en el texto por *VC.*

En términos alegóricos se podría interpretar a Juan como cualquier ser humano que viaja por el camino de la vida, buscando un paraíso que sólo existe en la vida eterna. De hecho, su manera de hablar de la vida y la muerte, de la paz y la felicidad, sugiere tal interpretación. Pero también se le puede identificar con los españoles que regresaban del exilio en la época. Gala dice que éstos encontrarán un país que sigue teniendo graves problemas económicos y políticos. Su uso del cementerio como símbolo de España o de parte del país no es nuevo en la literatura española[7]. Los nuevos personajes de quienes Juan se hace amigo en el cementerio, aunque algo idealizados, tampoco están totalmente alejados ni del comentario social de esta obra ni de la temática de obras posteriores.

El segundo acto empieza con una secuencia casi idéntica a la del primero: repitiendo la técnica cinematográfica del principio, cuatro episodios en sendos lugares presentan de nuevo a los mismos personajes o grupos de personajes (el alcalde, los de la pensión, una de las mujeres del mercado, las prostitutas del asilo). Además de recordar el comentario social anterior, Gala muestra en cada episodio o la falta de amor sincero o la falta de comunicación entre esposos. En las escenas que siguen en el panteón, Juan predica la importancia del amor a los amigos que se reúnen allí para celebrar la Nochevieja. Su mensaje, en combinación con la esperanza representada por el niño que va a tener María, contrasta manifiestamente con la voz del alcalde en la radio, la cual nos devuelve al mundo absurdo que delata el autor. Puesto que los turistas se quejan de la mendicidad, el alcalde piensa suprimirla desterrando a los mendigos[8]. La crítica directa de

---

[7] Para citar un solo ejemplo, en *La colmena* Camilo José Cela describe a Madrid como un sepulcro. Esta novela de obvio comentario social se publicó en la Argentina, en 1951, por estar prohibida en España.

[8] Esta tendencia del Gobierno en los años 50 y 60 de trasladar a los pobres en vez de atacar la pobreza se había criticado ya en la literatura de la posguerra. Véanse, por ejemplo, las novelas *Fiestas* de Juan Goytisolo, y *Las ratas* de Miguel Delibes.

la situación política en España se hace aún más obvia cuando Luterio, aunque sabe que está terminantemente prohibido, logra cantar después de años de no hacerlo. Esta acción, simbólica del desafío a la censura y la represión, precipita el desenlace. Mientras que los otros se escapan antes de la llegada inevitable de los guardias, Juan y Ana fracasan en su intento de morir para alcanzar el paraíso. En el cementerio de Gala, no pueden ni vivir ni morir en paz. En la primera escena de la obra, se presenta el conflicto entre Juan (el individuo) y el alcalde (la autoridad). En la última escena, este conflicto se resuelve con el triunfo de la autoridad.

A pesar de la visión pesimista de la realidad social y política, la obra no está exenta de esperanza. El hijo de Manuel y María no se llamará Abel, nombre que simboliza la víctima de una guerra civil[9]. Los que se escapan, al contrario de Juan y Ana, son jóvenes; fortalecidos por el amor, ya se han atrevido a cantar. Probablemente por la esperanza que encarnan estos personajes, el autor dijo en su autocrítica que *Los verdes campos del Edén* es «la historia de una redención» y que «cabe siempre preguntarse si los vencidos han sido vencidos de verdad»[10]. Sin embargo, el efecto total de la tragicomedia es irónico. El plano aparentemente verosímil, es decir, los episodios llenos de amor, poesía y fe religiosa que transcurren dentro del escenario «realista», es más subjetivo y frágil que el plano expresionista. De hecho, es el mundo abstracto y absurdo que representa la realidad política y social de la cual es imposible escaparse.

---

9 Por lo general, la crítica de cualquier aspecto social o político de la posguerra aparece en la novela antes que en el teatro, por la censura más rígida de éste. Goytisolo, por ejemplo, la usa en *Duelo en el Paraíso* (1955).

10 «Autocrítica» de *Los verdes campos del Edén*, en *Teatro español, 1963-64*, pág. 183. En la edición de 1975 falta la oración citada sobre los vencidos.

*Dos piezas alegóricas*

En *Los verdes campos del Edén,* el plano alegórico conlleva un simbolismo tanto religioso como político. Estas dos corrientes tienden a separarse en las piezas puramente alegóricas de Gala. *El caracol en el espejo,* obra que queda sin estrenar, tiene cierto fondo político y social, pero esencialmente es un comentario universal sobre la vida humana. Aunque por su ambiente onírico es surrealista, por su temática tiene algún lejano parentesco con el auto sacramental. Al contrario, *El sol en el hormiguero* es una sátira política que pasa por alto las cuestiones metafísicas que preocupan al autor en las obras anteriores[11].

La idea fundamental de *El caracol en el espejo* ya había sido expresada por una de las prostitutas de *Los verdes campos del Edén* al preguntarle ésta a Luterio:

> ¿Tú, qué sabes de mí? ¿Aquí qué sabe nadie de nadie? Llegamos, nos aburrimos y nos morimos. Y ya está (*VC,* 65).

De la misma manera, los personajes de la alegoría posterior pasan solitarios por las etapas de la vida, sufriendo las frustraciones y desilusiones inherentes a la condición humana. Ni aun el amor puede salvarles de sus vidas vacías, aunque los jóvenes tengan esta ilusión, porque la vida cambia el amor:

> Lo gasta, lo pule, lo blanquea: como a un guijarro (*CE,* 147).

La estructura de *El caracol en el espejo* es episódica y la escenografía, mínima. El autor indica que los pocos

---

[11] Estas dos obras alegóricas se han publicado en la antología *Antonio Gala,* editada por José Monleón. Las citas son de esta edición. Las de *El caracol en el espejo* se indicarán en el texto por *CE* y las de *El sol en el hormiguero* por *SH.*

muebles requeridos por el texto deben crear la impresión de una realidad abstraída.

La verdadera escenografía consiste en la iluminación y en los propios personajes (*CE*, 122).

En lo que se refiere a técnica teatral, repite las escenas expresionistas de *Los verdes campos del Edén* a la vez que anticipa los espectáculos históricos que escribirá para Televisión Española. Las siete escenas representan momentos en la vida de un matrimonio, A. y Z., desde su casamiento hasta la muerte de éste, ya «consumido, perdida la razón» (*CE*, 164). No obstante, el orden cronológico de estos episodios, el tiempo no transcurre de la misma manera para los otros grupos de personajes que entran y salen, o que quedan inmóviles cuando no les toca hablar, siempre en contrapunto a la historia desdichada de A. y Z. La angustia existencial de A. y Z. —sentido profundo de alienación y vacío— es la de todo ser humano y los demás son sólo el espejo que la refleja. El individuo, con su carga de miedo y su aislamiento, es el caracol del título.

La visión de la condición humana en *El caracol en el espejo* es bastante más pesimista que la de *Los verdes campos del Edén*. El niño, en lugar de ser la promesa de un futuro mejor, aquí muere al cumplir los cuatro años; la cuna se transforma en ataúd. Poco a poco el amor se transforma en una barrera de silencio tras la cual cada uno se desahoga con sus propios lamentos internos. Igual que Juan y Ana, A. fracasa en un intento de suicidio por la intervención de la policía, pero en su deseo de matarse a raíz de la muerte de Z. no hay ningún elemento poético ni sentimental —ni un deseo de reunirse con un ser amado, ni un deseo de llegar al soñado paraíso—. Más bien su deseo resulta de una desilusión total:

¿Para qué esperar más lo maravilloso? Ya hemos devorado nuestra estúpida ración de esperanza (*CE*, 168).

Al margen del drama humano de A. y Z. está el portero, personaje que tiene todos los visos de simbolizar a Dios. Juan y Luterio, los personajes contemplativos de *Los verdes campos del Edén,* hablan de manera indirecta de la posible existencia de Dios y del cielo. En *El caracol en el espejo* las referencias son más directas, pero no más alentadoras. El portero se siente impotente porque los invitados a la fiesta de la vida entran y salen sin escucharle. Está siempre allí, esperando:

> Pero a mí nadie me llama. Nadie me hace caso. Sólo salgo cuando se ha muerto un niño (*CE*, 149).

El portero quiere que cada uno ponga un ladrillo para terminar la casa, una casa que podría protegerles de la intemperie, mas actúan como si él no existiera. El portero les mira entre sorprendido y divertido, pero con compasión.

> Unos con otros, siempre, sin descansar. A amarse, a no amarse, a estar solos. Son juguetes también (*CE*, 151).

No quieren poner los ladrillos cuando es hora y de resultas de ello pasan la vida nerviosos y con frío.

> De cuando en cuando hay que venir a ordenarles lo poco que les queda (*CE*, 162).

Gala sugiere que la fe religiosa podría quitarles a los seres humanos su angustia existencial, pero presenta a un dios incapaz de intervenir y a unos individuos incapaces de creer en su existencia.

Al contrario, la fe política se muestra más fuerte y, por eso, más eficaz en *El sol en el hormiguero.* Partiendo de la conocida sátira de Jonathan Swift, Gala inventa un gigante llamado Gulliver que viene para liberar a un pueblo que sufre bajo el gobierno represivo de un rey. La comparación de Dios con Gulliver, a quien no ve nunca el público, está bien clara. Aunque el rey rechace la posi-

41

bilidad de que Gulliver tenga que ver con Dios por la razón que «nuestros enemigos no han tenido Dios nunca» (*SH*, 202), los otros lo consideran omnipresente («Gulliver está en todo, hasta en lo más chico», *SH*, 209), omnipotente («Gulliver, ¿no eras tú omnipotente?» *SH*, 223) y omnisciente:

> NOVIA.  Pero en el olivar nos verá Gulliver.
> NOVIO.  No importa. Seguro que él sabe que nos queremos.
>
> (*SH*, 195.)

Parodiando la famosa cita de Karl Marx, el Rey admite que Gulliver es «el opio de nuestra misión como pueblo en el mundo» (*SH*, 218)[12]. Trata de combatir la influencia del gigante, la cual ha convertido un pueblo pobre y sumiso en un pueblo próspero, rebelde y feliz, declarando que Gulliver no existe. Cuando descubre que no puede eliminarlo por decreto, lo asesina. Sin embargo, no puede matar la esperanza que Gulliver le dio al pueblo, y al final fracasa la monarquía.

Por su falta de sensibilidad a los verdaderos pensamientos del pueblo y por su abuso del poder, el Rey de *El sol en el hormiguero* tiene mucho en común con el alcalde de *Los verdes campos del Edén*. Es la caricatura de un tirano. Simultáneamente funciona como narrador, personaje que se dirige a los espectadores, indicándoles en una serie de monólgos que lo que presencian es sólo teatro y que él es el protagonista de la farsa. La técnica es anti-ilusionista o teatralista con una escenografía mínima y los diversos episodios satíricos en que figuran los representantes del pueblo, de la clase alta, y del gobierno, son expresionistas.

Si la crítica del Rey sirve de eslabón entre esta obra y *Los verdes campos del Edén,* la Reina es un eslabón obvio con varias piezas posteriores, sobre todo *Anillos para*

---

[12] La frase original, «la religión es el opio del pueblo», apareció por primera vez en 1844 en la introducción a la filosofía de Hegel.

*una dama* y *Petra Regalada* [13]. Aunque la mujer del alcalde en *Los verdes campos del Edén* muestra opiniones contrarias a las de su marido, la Reina es la primera de una serie de heroínas admirables de Gala que luchan por el amor y la libertad. El amor se lo trae el Republicano junto con un zapato que le devuelve como si fuera él el príncipe y ella la Cenicienta. Este Republicano (único de su partido político permitido por el Rey y entonces sólo como símbolo hueco de una oposición inexistente) le hace recordar su edad y el hecho de que ya no puede tener hijos. En este aspecto es precursora de la Jimena de *Anillos para una dama,* con su ansiedad por la juventud perdida. La nodriza que la acompaña es a su vez precursora de varias criadas viejas en obras posteriores [14]. Es ella quien entrega el zapato al Republicano para que se lo devuelva a la Reina. Cuando la Reina despierta al amor, también deja su actitud sumisa para despertar al deseo de libertad. En su primera entrevista con el Republicano, cuando él le dice que el pueblo ha puesto su esperanza en ella, la Reina responde que no es más que una mujer resignada sin ilusiones.

> El pueblo cree que soy demócrata porque me gusta montar en bicicleta. No se para a pensar que acaso lo que sucede es que estoy como una cabra (*SH*, 212).

No obstante la muerte de su amado, al final la Reina se muestra firme en su intento de crear un mundo mejor. Se marcha de la ciudad, seguida de todos y dejando al Rey totalmente solo.

> Probablemente no he sido yo el verdadero protagonista de esta triste historia (*SH*, 227).

---

[13] Vale la pena mencionar que Julia Gutiérrez Caba desempeñó el papel de la Reina en *El sol en el hormiguero* y de Petra en *Petra Regalada.*

[14] Ana María Padilla Mangas, en una excelente tesina sobre estas viejas, pasa por alto la nodriza de *El sol en el hormiguero.* Véase «Tipología en la obra dramática de Antonio Gala (Estudio de cuatro personajes: Camacha, Constanza, Eurimedusa y Eurimena)», tesis de licenciatura inédita, Universidad de Sevilla, 1977.

observa el Rey. El verdadero protagonista ha sido el pueblo como ya entendió la Reina. Es un final esperanzado, muy semejante al desenlace de *Petra Regalada.*

## LAS TENDENCIAS DOMINANTES

Las primeras piezas de Gala introducen la temática y, hasta cierto punto, los personajes que formarán la base de todo su teatro. Sin embargo, por sus elementos abiertamente expresionistas y alegóricos, y por su falta de un fondo claramente español, son distintas a las obras posteriores. Aunque se pueda entender *Los verdes campos del Edén* como crítica de la España de los años 60, no hay nada en la escenografía ni en el diálogo que lo indique directamente. Con *Noviembre y un poco de yerba,* Gala empieza una serie en que las referencias a la realidad española contemporánea dejan de ser oblicuas. Por lo general, los personajes y la escenografía de estas obras *(Noviembre y un poco de yerba, Los buenos días perdidos, Petra Regalada)* superficialmente parecen más realistas que en su primer teatro, pero básicamente siguen siendo alegóricos, lo mismo que en la otra serie de obras maduras de Gala, las históricas.

Con la excepción de *¿Por qué corres, Ulises?,* Gala escoge para estas obras teatrales la actualidad española o un momento determinado en el pasado de España y presenta simultáneamente la situación de unos individuos y una alegoría política. La integración del plano exterior de la trama con el plano alegórico a veces es tan perfecta que muchos espectadores y algunos críticos no han percibido el nivel más hondo. La historia de Paula, Diego, la madre y Tomás en *Noviembre y un poco de yerba* es también la de todos los mutilados física o psíquicamente por la Guera Civil y la posguerra. En las obras históricas el plano alegórico puede tener una dualidad de valores. Jimena, de *Anillos para una dama,* es la viuda del Cid (figura histórica), el individuo que lucha contra la autoridad (figura simbólica intemporal), y la persona que fracasa en su intento de crear una vida nueva tras la muerte del caudillo (figura simbólica actual). En efecto, no sólo *Anillos para una dama,* sino también *¿Por qué corres, Ulises?,* puede interpretarse como un comentario sobre el franquismo. El proceso de desmitificación que emplea Gala en las obras que tratan la historia española se encuentra igualmente en su versión de la leyenda griega y sirve el mismo propósito de ofrecer una perspectiva crítica sobre algún aspecto del presente.

Por la doble razón de que sus obras históricas comentan el presente y que las obras contemporáneas también tienen una función desmitificadora con respecto a la versión oficial de la realidad española, las dos series de obras se superponen hasta cierto punto. Para analizar la visión que tiene Gala de la época franquista, se deben tener en cuenta las obras históricas por lo que revelan de la esencia española y por lo que dicen alegóricamente del momento actual. Para analizar la visión que tiene Gala de la esencia española, es imprescindible estudiar tanto las obras contemporáneas como las históricas o míticas. Con respecto a las técnicas teatrales, las dos series tienden a separarse. Por su mayor fluidez temporal y espacial, las obras históricas suelen ser más anti-ilusionistas en la escenografía y más episódicas en la estructura que las obras contemporáneas.

*La historia española y el proceso de desmitificación*

A raíz del fracaso de *Noviembre y un poco de yerba,* Gala vuelve su atención al cine y a la televisión. En 1968 empieza a escribir los dramas históricos que formarán una corriente dominante tanto de su obra televisiva como de su teatro. Aunque varía bastante la estructura de estos dramas según el medio de representación, en todos subraya los mismos conceptos fundamentales: Del pasado no hay una sola interpretación. La interpretación oficial ha sido más mito que realidad. Hay que desmitificar el pasado para entender el presente.

Las primeras obras históricas de Gala son sus guiones conmemorativos. Las escritas directamente para la televisión obviamente tienen una técnica cinematográfica, pero obras como el *Retablo de Santa Teresa* y la posterior *Cantar del Santiago paratodos,* en efecto, son espectáculos teatrales que, a pesar de su fluidez temporal y espacial, pueden representarse en un escenario. En estructura y escenografía son una extensión de las escenas teatralistas de *Los verdes campos del Edén* y de las piezas alegóricas[15]. Igual que en *El caracol en el espejo,* Gala afirma que la verdadera escenografía es la luz. Desarrolla su acción en dos o más planos concomitantes. En *Cantar del Santiago paratodos* el escenario está dividido transversalmente y los personajes forman dos grupos distintos: los históricos y los populares o intrahistóricos[16]. En la biografía dramática de Teresa de Jesús, se destaca el desdoblamiento de la santa. Tres actrices, representando sendas edades, desempeñan el papel de la protagonista con cierta simultaneidad; a su presencia en las tablas se añade, al principio de la obra, la voz en *off* de la Teresa niña. Por su estructura compleja e innovadora y por su actitud crítica ante la historia española, tales obras como *Retablo de Santa Teresa* y *Cantar del Santiago paratodos* caben perfectamente dentro del importante subgénero de drama histórico en el teatro español contemporáneo.

La intención de Gala de mostrar no sólo la historia española, sino también la intrahistoria está bien clara en

---

[15] El comentario que sigue se limita a las obras publicadas. Las citas son de estas ediciones y se indicarán en el texto por las iniciales señaladas: En *4 conmemoraciones,* Madrid, Ediciones Adra, 1976: *Eterno Tuy (ET), Auto del Santo Reino (ASR), Oratorio de Fuenterrabía (OF), Retablo de Santa Teresa (RST); Cantar del Santiago paratodos,* Madrid, MK, 1974 *(CSP); Juan Martín, «El Empecinado», Tiempo de Historia,* Año III, núm. 26 (1977) *(JM).*

[16] Miguel de Unamuno introdujo su concepto de intrahistoria en *En torno al casticismo* (1895). La esencia eterna de una nación se encuentra no en los acontecimientos históricos (la superficie), sino en la vida del pueblo (el fondo). En su acercamiento a la historia española, Gala parece buscar esta esencia.

las técnicas teatrales que emplea. En *Cantar del Santiago paratodos* la visualiza a través de los dos grupos de personajes. En *Eterno Tuy,* primera de las conmemoraciones, introduce un doblete de actores con este fin:

> En seguida, entra el pueblo cuyos personajes en todas las escenas deben ser los mismos (*ET*, 40).

De igual manera, en *Auto del Santo Reino,* aunque pasen muchos años, el pueblo no cambia:

> Sus trajes son intemporales, los mismos durante todo el Auto *(ASR,* 53)[17].

El olivo que narra la historia de Jaén y el pueblo son la esencia eterna de la provincia:

> Soy inmortal, como este pueblo cuya historia es la mía (*ASR*, 56).

Puesto que los seres humanos no cambian, la historia humana se repite.

En las cuatro conmemoraciones y *Cantar del Santiago paratodos,* Gala se basa en la historia, la leyenda folklórica y la literatura para recrear el pasado español. Escoge sus textos cuidadosamente y los yuxtapone con otros elementos en forma dialéctica, haciendo al espectador juzgar la versión oficial del pasado. En *Cantar del San-*

---

[17] El doblete de actores en el drama histórico contemporáneo es una técnica frecuente para recalcar la esencia invariable de cierta clase social o de cierto tipo de individuo. En la conocida obra inglesa de Robert Bolt, *Un hombre para todas las temporadas* (traducción española *La cabeza de un traidor,* 1962), el mismo actor desempeña siempre el papel del vulgo, el hombre de la calle que, por egoísmo y cobardía, dejará morir al héroe. Alfonso Sastre, en *M.S.V. (o La sangre y la ceniza)* (edición italiana, 1967; 1.ª ed. española, 1976), indica que el mismo actor será el ejecutor de Viena y el verdugo de Ginebra, igual que un solo actor debe hacer el papel de los comisarios de las dos ciudades. En *Nuevo brindis por un rey* de Jaime Salom (1973), el mismo joven es testigo de todos los acontecimientos, a veces como soldado o mensajero de una banda y a veces como partidario de la otra.

*tiago paratodos* la dicotomía entre historia y pueblo, entre tradición oficial y realidad popular, se encarna en dos personajes representativos: el Maestro de ceremonias (la historia oficial) y el Protector de los peregrinos (el pueblo). El Protector expresa claramente la tesis de Gala:

> La historia es tan distinta según quien nos la cuente... *(CSP, 28).*

Siempre hay, por lo menos, dos perspectivas sobre cualquier acontecimiento o sobre cualquier figura histórica. Catalina Lancaster explica que era

> nieta del Rey don Pedro, que unos llamaron «El Cruel», y otros «El Justiciero» *(OF, 97).*

Por las múltiples perspectivas, no es siempre posible encontrar la verdad. El Olivo pregunta

> ¿Por qué murió Lucas de Iranzo?

Presenta diversas respuestas hipotéticas y contradictorias, pero no se contesta:

> Hay momentos en que la historia de un pueblo se hace negra... *(ASR, 81).*

Aunque la historia a veces sea oscura, Gala suele identificar lo característico del pasado español para presentarlo bajo una luz crítica. En el prólogo al guión *Juan Martín, «El Empecinado»,* de la serie *Paisaje con figuras,* el autor opina que Juan Martín Díaz, el mejor guerrillero de la Guerra de la Independencia, representa «lo español» por «lo heroico y por lo malpagado». Su muerte fue «una muerte española» por ser «terrible» *(JM, 24).* De la crueldad y la represión no se escapan ni los héroes ni los santos ni los artistas. Teresa de Jesús es una rebelde que tiene que luchar contra las monjas, contra el pueblo y contra la Inquisición para mantener su libertad religiosa.

La represión de la libertad individual no se limita a una sola tendencia ideológica. Cuando le preguntan a Goya en un capítulo de *Paisaje con figuras* de qué España es víctima, Goya contesta, «De las dos».

La actitud de Gala no es antirreligiosa ni anticatólica en sí, aunque critica la hipocresía, la superstición y las luchas políticas dentro de la Iglesia. Presenta a Teresa de Jesús como mujer admirable y mística sincera. Termina su obra sobre Santiago con un elogio emocional del santo. Repitiendo la metáfora de los ladrillos de *El caracol en el espejo,* alude al valor positivo de la fe colectiva. Teresa misma será «la primera "piedra" de ese convento» (*RST*, 162). El Protector dice que es difícil llegar a la verdadera Compostela, pero que cada peregrino llevará su piedra para hacer catedral (*CSP*, 68). La catedral de la verdadera Compostela, el convento de Teresa de Jesús y la casa del portero distan mucho de la fachada falsa de las instituciones políticas y religiosas.

En uno de sus artículos periodísticos, Gala afirma que España apenas tiene tradición democrática. Según el autor, la unidad nacional se apoya en una religión impuesta. Por otra parte, la tesis del absolutismo papal se convirtió en arquetipo del absolutismo político[18]. El uso y el abuso de la religión con fines políticos o personales es un tema casi constante en todo el teatro de Gala. Se introduce ya en *Cantar del Santiago paratodos* junto a la desmitificación de la versión oficial de la historia española. Alfonso II fue el «inventor del sepulcro de Santiago», invento necesario en términos políticos para levantar otra luz, otras reliquias, otro estandarte contra los peregrinos árabes que habían encontrado algunos huesos de Mahoma en Córdoba (*CSP*, 52-53). Sin embargo, la reconquista no fue una simple guerra entre cristianos y moros. «La Canción de Roldán es toda una mentira» (*CSP,* 50). Los que atacaron a los doce pares de Carlomagno no fueron sarracenos, sino vascos montañeses.

---

[18] «Tradición democrática», *Texto y pretexto,* Madrid, Sedmay, 1977, págs. 253-255.

Por tanto, el Maestro se equivoca al declarar que «Carlomagno es el primer cruzado de nuestra reconquista»; la verdad está más bien con el Protector, quien opina que «España siempre ha tenido cruzadas personales» *(CSP,* 50).

En su desmitificación del peregrinaje, Gala introduce anacronismos deliberados para reforzar la comparación entre pasado y presente. Entre los peregrinos, hay de todo: los que sinceramente buscan a Dios y los que sólo buscan la aventura. Tanto unos como otros se quejan de los mercaderes que se aprovechan de la ola de turismo para hacer trampas. El papa Calixto II, por intereses personales, apoyó el peregrinaje a Santiago de Compostela desde el principio para favorecer a Galicia y a los monjes de Cluny. Como resultado de esta promoción de turismo, hubo intercambios de cultura y un contacto beneficioso con otros países de Europa. Según el Protector, el grito de veras fue «¡Santiago y abre España!». El que cerró España no fue el santo patrón, sino el rey Felipe II, quien prohibió el hábito de romero y peregrino a la vez que luchó contra la reforma protestante y otras influencias extranjeras. Al cerrar el país, mataron «a la gallina de los huevos de oro» *(CSP,* 56) y apagaron «la fe del carbonero» *(CSP,* 66).

Si *Cantar del Santiago paratodos* anticipa *Anillos para una dama* por su perspectivismo y su desmitificación, las conmemoraciones también anuncian el sensible tratamiento de algunos personajes femeninos[19]. La rebeldía

---

[19] Aunque las conmemoraciones reflejan un interés creciente por la situación de la mujer, los otros guiones televisivos y cinematográficos de la misma época tienden a usar personajes femeninos de lo más estereotipados y antifeministas. Por ejemplo, en *El «Weekend» de Andrómaca* la protagonista viuda quiere tener una vida propia y seguir amando, pero decide dedicarse completamente a su hija porque «una mujer que ha sido madre ya nunca debe volver a ser mujer». (En *Cuatro guiones de televisión.* Madrid, Alfil, 1968, pág. 70.) Su actitud es la opuesta de la de Jimena. Del grupo de guiones publicados el único que muestra una relación obvia con la temática del teatro de Gala es *Vieja se muere la alegría,* telecomedia en que dos viejos luchan por la libertad de amarse y casarse a pesar de la hostilidad e irrisión de su patrón y sus familiares.

de Jimena contra su papel de viuda del héroe nacional se relaciona con la situación patética de las mujeres de estirpe real en los espectáculos históricos. Con ellas Gala muestra por primera vez su preocupación por la mujer-objeto que desarrollará más ampliamente en *Petra Regalada*. Urraca 2.ª, en *Eterno Tuy*, es consciente de que no ha respetado los límites que trataron de imponerle como Infanta de Castilla y Condesa de Galicia: «Me llamaron liviana porque amaba la vida» (*ET*, 27). El Ángel de Fuenterrabía explica que la mujer real no tiene tal derecho por cuestiones políticas: «Las mujeres reales son prendas de paz entre los reinos» (*OF*, 95). Catalina de Lancaster es sólo una de las mujeres que cuenta la triste historia de su vida:

> Una mujer es cosa de los hombres: Nos llevan y nos traen. Nos coronan tan sólo, para exigirnos luego majestad. No pude acostumbrarme [...]. Se me llegó a pudrir el corazón de no poder usarlo (*OF*, 97-98).

Su queja es un anticipo elocuente de Jimena. La gran popularidad de *Anillos para una dama* se atribuye sin duda a la desventura del amor prohibido y al grito de libertad de Jimena en el plano exterior. Las razones más hondas, como Hazel Cazorla ha explicado ya en su excelente estudio, es el comentario político no sólo del pasado, sino también de la época actual[20].

En el plano personal, Jimena es una rebelde que quiere buscar su propia felicidad y establecer su propia identidad después de un matrimonio y una viudez de «mujer sacrificada» (*AD*, 39). A partir de su casamiento a los catorce años, ha tenido que abandonar su vida para llevar la del Cid. Su deseo de casarse con el fiel Minaya se basa en el amor, pero fundamentalmente es la manifes-

---

[20] Cazorla, «Antonio Gala y la desmitificación de España: Los valores alegóricos de *Anillos para una dama*», *Estreno*, IV, núm. 2 (otoño de 1978), págs. 13-15. Las citas de *Anillos para una dama* se indicarán en el texto por las letras *AD* y son de la edición Júcar, publicada en Madrid, 1974.

tación de esta búsqueda de su ser auténtico y su libertad individual. Por eso rechaza la solución hipócrita que le ofrece el rey Alfonso VI, la de mantener la fachada de viuda respetable mientras ama a Minaya a escondidas. Cuando fracasa en su lucha contra la autoridad, acepta voluntaria y heroicamente su papel de viuda del Cid para que su sacrificio no sea totalmente inútil.

Es un error ver en Jimena sólo una historia trivial de amor imposible o, como ha dicho un crítico, «un típico comportamiento menopáusico» [21]. Gala no pretende escribir un drama psicológico ni de Jimena ni de ningún otro personaje suyo y menos aún presenta a sus protagonistas femeninas desde un ángulo machista. Para el dramaturgo cordobés, la cuestión de justicia no se limita a la «justicia social», sino que abarca la «justicia entera». En su sentido amplio de justicia incluye la libertad del individuo de cumplir su propio destino y la libertad de poder amar a quien desee como derechos humanos básicos [22]. En *Los verdes campos del Edén* reconoce ya la importancia del amor para la felicidad, pero poco a poco en su teatro el amor asume valores políticos. El amor es una fuerza vitalista que se opone a la fuerza represiva y militarista de la sociedad dominante. La Reina en *El sol en el hormiguero* se siente atraída al Republicano en un nivel personal, pero después este amor se convierte en poder político. De igual manera, en *Petra Regalada* la protagonista, al despertar por el amor, evoluciona, pasando de ser un objeto sexual a convertirse en el portavoz del pueblo.

Aunque Gala no se haya declarado feminista, su perspectiva sobre la situación de la mujer cabe perfectamente bien dentro de las teorías feministas actuales. Desde las damás más altas (Jimena) hasta las prostitutas más de-

---

[21] Ángel Fernández Santos, «*Anillos para una dama,* de Antonio Gala», *Ínsula,* núm. 325 (diciembre de 1973), pág. 15. Reeditada en la edición citada de *Anillos para una dama,* págs. 9-19, y en *Teatro español, 1973-1974,* ed. F. C. Sáinz de Robles, Madrid, Aguilar, 1975, páginas 158-163.

[22] Entrevista personal, 31 de mayo de 1980.

gradadas (Petra), las mujeres son seres oprimidos por el sistema político y, por eso, las personas indicadas para luchar contra la represión. La desmitificación de los matrimonios «ideales» (el Cid-Jimena, Ulises-Penélope) tiene por eso un simbolismo político. Al dedicarse a la guerra, los grandes héroes han perseguido sus intereses personales y han sacrificado la paz, la felicidad y la libertad de sus familias y sus países. En la mujer, Gala encuentra el vehículo adecuado para la expresión elocuente y hasta graciosa de su crítica social. Opina que la mujer es más inmediata que el hombre:

> La mujer se expresa mejor en la escena y en la vida. Actúa, pero además se explica. El hombre razona de manera más fría, más metódica, más aburrida[23].

En *Carmen Carmen,* obra musical inédita, Gala presenta una versión española del personaje de Merimé en que la mujer es la alegría de vivir en oposición a los gustos de sus amantes españoles:

> el éxito, el dinero, la moral convencional, el orden de la ideología propia[24].

Ésta es igualmente la fuerza vital de Jimena. La culpa de que no realiza ni la felicidad ni la autenticidad es del poder político y religioso que no le deja elegir su propio camino.

El Cid legendario desempeña dos papeles: gran héroe militar a la vez que marido y padre ejemplar. Al desmitificar éste, Gala también pone en duda el valor de aquél. Jimena y sus tres hijos vivieron encerrados en San Pedro de Cardeña, viendo al Cid con poca frecuencia. Jimena se queja a Constanza, su vieja criada y confidente de este aislamiento y de su frustración sexual, aun cuando el Cid estuvo allí:

---

[23] Entrevista con Lola Aguado, *Hoja del Lunes,* 17 de marzo de 1980, pág. 36.

[24] Entrevista con David Kirsner, 11 de enero de 1977.

> Ya tú ves: las pocas noches que el Cid pasó conmigo:
> se durmió antes de llegar a la cama (*AD,* 80).

Sin embargo, según Constanza, el Cid no buscó placer sexual con otras mujeres, porque «lo suyo eran las guerras» *(AD,* 79), no el amor. Aunque Jimena no dice como Nausica, en *¿Por qué çorres, Ulises?,* «Hagamos el amor y no la guerra»[25], seguramente estaría de acuerdo. Quiere oponer su gran palabra «amor» a las grandes palabras de Alfonso VI «patria» y «Dios», palabras que le costaron la vida de su hijo Diego:

> Mi hijo se quedó muerto, solo en mitad de un campo,
> con las grandes palabras por almohada... Estoy segura
> de que al morirse dijo «madre» y no «patria»...(*AD,* 92).

El tono de *¿Por qué corres, Ulises?* es mucho más ligero que el de *Anillos para una dama,* pero la desmitificación del matrimonio del héroe militar es semejante[26]. En la comedia de Gala la fidelidad de Penélope ante el abandono de Ulises es un mito, así como la justificación de la guerra misma:

> Ya está bien de mitomanías. Si la guerra de Troya se
> hizo fue porque competir con Troya era ruinoso: fabrica-
> ba más que toda Grecia (*PCU,* 191).

Según Penélope, Ulises abandonó a su mujer y a su hijo sin saber la verdadera causa de la guerra y sin que le importara mucho. Se marchó por egoísmo.

> A Ulises, mientras estuvo en Ítaca, le importó sólo Uli-
> ses. Su hijo y yo éramos el lastre de su barco (*PCU,* 191).

---

[25] *¿Por qué corres, Ulises?,* Madrid, Espasa-Calpe, 1977, pág. 135. Otras citas son de esta edición y se indicarán en el texto por *PCU.*

[26] Es interesante notar que Adolfo Prego, en su reseña de *Anillos para una dama,* llamó al Cid el «Ulises castellano». De *ABC,* 30 de septiembre de 1973, reeditada en *Teatro español, 1973-1974,* páginas 165-167.

Ulises protesta porque la mujer que dejó y que encuentra a su vuelta no es cariñosa, sino regañona, pero Penélope le asegura que tendrá que escuchar las quejas de muchas personas:

> ¿Qué explicación darás a las mujeres, a las madres, a los hijos de los hombres que te llevaste de Ítaca? (*PCU*, 207).

En la mitología tradicional, tanto el Cid como Ulises son el Hombre, prototipo del héroe. Sus mujeres, para no romper la imagen idealizada del varón perfecto, tienen que asumir el papel estereotipado de la hembra dócil, fiel y contenta. Ni Jimena ni Penélope están dispuestas a actuar dentro de tal farsa. Su rebeldía ante el estereotipo sexual tiene, por eso, su importancia política, incluso para la época actual.

De las dos piezas, *Anillos para una dama* es la más seria y la más pesimista. Para Cazorla,

> nos ofrece una profunda intuición acerca de la situación post-franquista del país[27].

Efectivamente, en sus «Palabras de autor», Gala hace las preguntas:

> ¿Qué sucede en un pueblo cuando la muerte le arrebata a quien lo guía? ¿Se tolerará a los que lo rodeaban apearse del pedestal que con él compartieron? (*AD*, 23).

Las respuestas para Jimena, quien aquí representa la España que quiere renovarse, son desalentadoras. El rey es oportunista y no quiere destruir el mito político que puede serle de utilidad. La Iglesia, representada por el sordo y cómico obispo Jerónimo, se alía con el rey, lo mismo que María, hija de Jimena y el Cid, y Constanza. Minaya, el único que quiere apoyar a Jimena, se mantuvo resignado en el pasado y se muestra impotente en el

---

[27] Cazorla, pág. 13.

presente. El hecho de que Alfonso VI, aun con los soldados del Cid y el mito del difunto, no pueda resistir las
fuerzas externas (los moros que están atacando Valen-
cia), no influye en el triste destino de Jimena: quedará
encerrada en San Pedro de Cardeña con el cadáver del
Cid.

Trasladando la situación a los años 70, Gala parece
decir que el franquismo no terminará con la muerte de
Franco. La lucha de «la otra España», la que quiere
cambiar, fracasará contra la inercia, el miedo y los intereses personales.

Cazorla ha citado ya en el texto varias indicaciones del
paralelismo entre pasado y presente. A sus acertadas observaciones se puede añadir toda la temática de la represión sexual[28]. María, heredera del carácter del Cid, es
puritana y rechaza tanto la sexualidad como el amor.
Constanza y Alfonso VI no son tan moralistas como ella,
pero sí son hipócritas:

> Lo que aquí escandalizan no son las cosas, sino el
> nombre que les damos (*AD*, 98).

La actitud rígida de María es la oficial, pero lo importante no es la virtud, sino la apariencia de la virtud.

Si la represión sexual es símbolo del franquismo, la li-
beración sexual lo es del fin del franquismo. Gala identifica al Ulises de la *Odisea* con «la posguerra náufraga»
(*PCU*, 123); su Ulises habla constantemente de sus aven-
turas durante la guerra y la posguerra, deseando que todo el mundo reviva con él su pasado glorioso. Al principio, Nausica le encuentra físicamente atractivo a pesar
de su edad, pero poco a poco se aburre de estas historias
interminables de una guerra que no tiene interés alguno
para ella. María, la hija puritana del Cid, está dispuesta

---

[28] La represión sexual bajo Franco fue tal que dio lugar no sólo a una
ola de pornografía después de su muerte, sino al uso metafórico de la
sexualidad reprimida como símbolo de su régimen. Basta mencionar
*Las hermanas de Búfalo Bill* de Martínez Mediero, éxito comercial de
la temporada 1975-76.

a mantener viva la leyenda de su padre. Nausica, la muchacha emancipada, rechaza el pasado. De igual modo, Penélope no ha sido fiel a Ulises ni sexualmente ni ideológicamente. La tradición del Cid continuará aun después de su muerte, pero Ulises es un hombre anticuado cuyas ideas se pueden pasar por alto. Las dos obras tienen interpretaciones alegóricas con respecto al franquismo, pero la segunda es más optimista ante el futuro; los veinte años de separación no han mejorado la difícil relación matrimonial de Ulises y Penélope, pero en cuestiones políticas y sociológicas, el cambio es posible[29].

*Anillos para una dama* y *¿Por qué corres, Ulises?*, por su proceso de desmitificación y su uso de humor pueden relacionarse con una importante corriente teatral del siglo XX que incluye obras tales, como *No habrá guerra en Troya* de Jean Giraudoux y *Antígona* de Jean Anouilh. Al igual que los personajes de estos escritores franceses, los protagonistas de Gala están conscientes del papel que desempeñan. Ulises está orgulloso de su importancia y les aburre a todos con sus relatos. Al contrario, Penélope es cínica, contradiciendo siempre la versión oficial de la historia. La actitud de Jimena es aún más rebelde. Como Héctor y Andrómaca en *No habrá guerra en Troya*, quiere alejarse del papel que le ha entregado la historia para buscar la felicidad y crear su propia verdad. Habla en términos de la Historia con mayúscula (la supuesta verdadera Historia que, sin embargo, «cambia tanto según quien nos la cuente», *AD,* 86) y de la otra historia (su

---

[29] El comentario sobre el franquismo implícito en *¿Por qué corres, Ulises?* está subordinado a la historia más bien ligera del viejo triunfador que se siente burlado por el tiempo y la juventud. Las dos escenas expresionistas de la comedia (la del primer acto, cuando la Penélope imaginaria de Ulises se le aparece, y la del segundo, cuando se materializa la Nausica imaginaria) refuerzan este plano personal. La introducción del desnudo parcial de Nausica (Victoria Vera) en el estreno madrileño desvió aún más el mensaje social y, sin duda, cambió radicalmente la reacción de los críticos. Gala mismo opina que fue un «destape absurdo» y que *¿Por qué corres, Ulises?* ha sido la obra suya «peor interpretada en el estricto sentido». (Entrevista personal, 31 de mayo de 1980.)

propia vida y realidad). En su proceso de desmitificación, Gala, lo mismo que Giraudoux y Anouilh, suele usar anacronismos. En *Anillos para una dama,* la introducción del café (bebida que no existía en Europa antes del descubrimiento de América) tiene un valor metafórico especial. Poder tomar café es para Jimena una manera de salir de la Historia. María, guardiana del mito político de su padre, se niega a tomarlo. Minaya piensa tomarlo con Jimena, pero lo deja enfriar (*AD,* 45-47). Héctor no consigue cerrar las puertas de la guerra y así fracasa en su intento de romper con la Historia. Jimena y Minaya no toman café juntos y tampoco se escapan de la Historia.

Más arraigada en un momento histórico concreto y más trágica en su tono es *Las cítaras colgadas de los árboles,* obra a veces cruda y violenta, casi exenta del humor que tanto caracteriza el teatro de Gala en general. Empieza y termina con escenas sangrientas: al principio, la matanza ritual de un cerdo y, al final, un doble asesinato. Al contrario de otras piezas históricas suyas, los personajes no son figuras conocidas, sino que representan la intrahistoria conflictiva de España en el siglo XVI, cuarenta años después del movimiento comunero. En un ambiente de represión política y religiosa, la gente se divide en bandos: los ricos y los pobres, los vencedores y los vencidos, los cristianos viejos y los judíos conversos, los inquisidores y los alumbrados. El más poderoso del pueblo, el alcalde Alonso, llegó a su rango por la traición de su padre, quien denunció por comunero a un hidalgo y le quitó sus tierras. El hijo de éste, Lázaro, huyó, en parte porque se había enamorado de la judía Olalla. La tragedia misma es la historia de su retorno.

Aunque *Las cítaras colgadas de los árboles* no es una alegoría de la actualidad en el mismo sentido que lo es *Anillos para una dama,* la correspondencia entre el siglo XVI y el siglo XX queda bastante clara. El pueblo sufre las secuelas de una guerra civil. Medio país sigue esperando su libertad. Lázaro es el exiliado que regresa a la patria después de años de ausencia. Estos elementos son comunes a varias obras de Gala, lo mismo que la crítica de la guerra y el heroísmo y el desenmascaramiento del pasado glorioso de España. En el nivel político anticipa a *Petra Regalada* en su ideal anarquista y, hasta cierto punto, en la caracterización de Olalla, mujer del pueblo reducida a la prostitución por el cacique.

Aún más obviamente *Las cítaras colgadas de los árboles* está relacionada con *Los verdes campos del Edén* por la llegada del redentor con su promesa de un paraíso y por su fuerte simbolismo religioso. Igual que Juan en la primera pieza de Gala, Lázaro regresa al pueblo ancestral para hablarles a los pobres y desamparados del amor y de una tierra mejor. Superficialmente parece referirse al Nuevo Mundo, del cual vuelve lo mismo que el Lázaro de Unamuno en *San Manuel Bueno, mártir,* pero allí tampoco pudo «respirar hondo» porque «en la Nueva España, también hay españoles»[30]. Muestra entusiasmo por la naturaleza y belleza de las Américas, mas cuenta las atrocidades que han cometido sus compatriotas con los indios y sus otros actos crueles o egoístas. El paraíso que describe o es más bien espiritual o es una utopía que está por construir.

Lázaro da amplia explicación de su paraíso en una escena de Nochebuena que mucho recuerda la Nochevieja de Juan y sus amigos en *Los verdes campos del Edén.* La estructura de las dos obras es semejante por ser episódica con transiciones rápidas de tiempo y varios cambios de escena[31]. En los dos casos el dramaturgo se aprovecha de esta flexibilidad para introducir una fecha del calendario que refuerza el simbolismo religioso del drama. Lázaro, rodeado de porquerizos y otros discípulos, forma «un cuadro evangélico» (*CCA,* 104). Otra vez cantan vi-

---

[30] *Las cítaras colgadas de los árboles,* Madrid, Espasa-Calpe, 1977, página 91. Otras citas son de esta edición y se indicarán en el texto por *CCA.*

[31] Gala no describe la escenografía para la obra. Podría usarse la escenografía mínima y antinaturalista de otras obras históricas suyas al añadir sólo los muebles y accesorios obligatorios para indicar los cambios de lugar. Como siempre, la luz es un elemento importante de la escenografía.

llancicos, y el redentor habla de la paz, la felicidad y la libertad. Y otra vez el cuadro idílico es roto por la llegada de la autoridad represiva. Si Juan es sólo un predicador o profeta, Lázaro más obviamente es una imagen de Cristo, cuya muerte inevitable se anticipa al principio con la matanza del cerdo. La identificación cerdo-Lázaro-Cristo como víctimas sacrificiales justifica el hecho de que Lázaro, primer amante de Olalla, vuelva del Nuevo Mundo castrado. En el rito de la matanza, el cerdo también lo es. Inicialmente Olalla se desespera cuando se da cuenta de que el casamiento que le ofrece Lázaro no incluye el amor físico:

> ... la boda de una puta y un capón: ¡ése había de ser mi paraíso! (*CCA*, 99).

Después se conforma al entender que el amor de Lázaro-Cristo trasciende lo sexual. Es Olalla, la matancera judía, quien mata a Lázaro, pero sólo para evitarle una muerte más cruel a manos del alcalde y su gente. Ella, transformada como la Reina de *El sol en el hormiguero* o como Petra, está dispuesta a marcharse en busca del paraíso de Lázaro, pero no se escapa de la venganza violenta de Alonso.

En *Las cítaras colgadas de los árboles* el simbolismo religioso se funde con el mensaje político. El título mismo viene del Salmo 136 e implica que un pueblo cautivo no puede cantar. En el paraíso de Lázaro habrá libertad individual e igualmente social. No promete riquezas, pero

> habrá un hermoso trabajo para cada uno (*CCA*, 104). No habrá ni contaminados ni conversos: toda sangre es sagrada (*CCA*, 104).

El gobierno no estará en manos de tiranos, sino en las virtudes del pueblo:

En ellas creo yo, no en el poder. El poderoso acaba siempre por aplastar al inocente y por robar al pobre... (*CCA*, 105)[32].

No obstante el desenlace trágico, Lázaro y Olalla no están necesariamente vencidos. La esperanza sigue viva. Antes del telón se oye

un canto de chicharras y grillos al que se une triunfal, una música de cítaras (*CCA*, 120).

El canto de los grillos, con su aire milagroso, es un *leitmotiv* que se identifica con Lázaro y su mensaje del paraíso durante toda la obra. A Lázaro no le importa morir:

Estoy contento. Vine a decir que existe el paraíso y lo he dicho (*CCA*, 117).

Como a Cristo, la muerte le dará a su vida «su forma verdadera» (*CCA*, 117). Los efectos sonoros sugieren que el paraíso prometido por Lázaro, donde es posible tocar las cítaras de la libertad, puede existir. Sin embargo, las obras contemporáneas de Gala, con la posible excepción de *Petra Regalada,* indican que el sueño todavía no se ha realizado.

## La España contemporánea

La obra situada en el siglo XX que más se parece estructural y teatralmente al conjunto de las históricas es la musical *¡Suerte, campeón!,* prohibida en 1973 por la

---

[32] La interpretación política de las palabras de Cristo es igualmente el tema de *Tiempo de espadas* (1972) de Jaime Salom. Creo que Gala escogió el nombre Lázaro por su personaje, no por su uso en la literatura picaresca *(Lazarillo de Tormes)* como sugerió Pablo Corbalán en su reseña de *Informaciones* [citada en Francisco Álvaro, *El espectador y la crítica (El teatro en España en 1974),* Madrid, Prensa Española, 1975, pág. 73], sino por su uso en el Nuevo Testamento. Olalla tiene su paralelo con María Magdalena igual que la Maggi en la obra de Salom.

censura. Efectivamente, por su tratamiento, tanto del presente (1971) como del pasado reciente (treinta años de la posguerra), es una obra intermedia entre la serie contemporánea y la serie histórica. Parecido a las conmemoraciones, es un espectáculo con un reparto extenso. El escenario tiene varios niveles con rampas para facilitar las escenas simultáneas y la fluidez temporal[33]. Según el autor, el procedimiento del relato es

casi cinematográfico de una velocidad y de un ritmo trepidantes[34];

este paso del tiempo se sugiere a través de canciones y cambios de ropa.

Totalmente antinaturalista, la técnica de *¡Suerte, campeón!* pertenece a la corriente teatralista de Thornton Wilder *(Nuestra ciudad, La piel de nuestros dientes).* Los personajes principales, Víctor y Carmela, se dirigen al público y, rompiendo cualquier ilusión de «realismo», van en busca de su pasado. Como Ella, en *El baúl de los disfraces,* de Jaime Salom, cuando le ayuda al viejo Juan a volver a su juventud, Víctor le quita a Carmela las alhajas, la peluca, las pestañas postizas y los tacones para que encuentre de nuevo su auténtico ser, la muchacha inocente que era a los dieciocho años. El Víctor de aquella época era un joven idealista. Al contar sus historias, revelan no sólo el fin de su noviazgo, la muerte de sus sueños, y la amargura y frustración de sus vidas vacías, sino también, desde una perspectiva bastante crítica, el desarrollo del país entero. La persistente división del pueblo español en dos bandos, la pobreza de muchos durante los primeros años de la posguerra, la resultante prostitución y explotación de la clase obrera, la ola de turismo, la sociedad de consumo, los abusos del materialismo y del ca-

---

[33] Le agradezco al autor el haberme facilitado el manuscrito de esta obra, que sigue inédita en la fecha en que escribo estas líneas. Las citas son del manuscrito y se indicarán en el texto por *SC.*
[34] Entrevista con Kirsner, 11 de enero de 1977.

pitalismo, todos estos aspectos de la realidad española de los años franquistas se someten a la sátira de Gala. Sólo al final se aclara que Víctor ya está muerto, víctima del hundimiento del mal construido almacén donde trabaja como jefe de electrodomésticos, puesto que sólo consiguió por la intervención de Carmela. El tono del desenlace, como el de la obra entera, es irónico.

*¡Suerte, campeón!* no refleja ningún cambio radical en el pensamiento de Gala, pero su crítica abierta, sea del tratamiento de los vencidos en la guerra (tema introducido ya en *Noviembre y un poco de yerba*), sea de la sociedad de consumo (tema de *Los buenos días perdidos*), toma aquí una forma poderosa e innovadora. Estrenada en 1973, la obra hubiera desmentido cualquier comentario de que el teatro de Gala era demasiado «burgués». En un artículo de *Texto y pretexto,* el dramaturgo mismo aclara que en la obra prohibida pretendía atacar

> una sociedad desidealizadora y desespiritualizadora del ser humano, para la que el único valor es el éxito, un éxito que se mide, por lo general, en dinero.

Le duele no sólo la España del pasado, sino la España actual:

> Al que empiezo a desconocer es a mi pueblo: menos contradictorio, menos apasionado, menos alegre, menos enjuto, menos elegante cada día[35].

Efectivamente, *¡Suerte, campeón!* es la historia de la prostitución de España.

Aunque con el desarrollo económico del país, la gran pobreza de los años 40 y 50 desaparece, y las chicas como Carmela ya no tienen que vender sus cuerpos, el país entero sigue vendiendo su alma a los electrodomésticos y

---

[35] «La desgracia de *¡Suerte, campeón!*», *Texto y pretexto,* páginas 101-103.

a los turistas. Algunos de los mismos temas de *¡Suerte, campeón!* se habían presentado antes en *Spain's Strip-Tease,* única pieza de café-teatro de Gala y única obra musical suya que se ha estrenado hasta ahora. Aunque el tono de la pieza de café-teatro es mucho más ligero que el de *¡Suerte, campeón!,* la crítica de la sociedad de consumo en particular es igual:

> Piso, electrodomésticos,
> ambición, ambición.
> Infarto de Miocardio
> y se acabó el carbón.
> Nos hemos olvidado de amar y sonreír.
> El corazón nos sirve sólo para morir[36].

La prostitución en términos literales también es tema común a las dos obras. La estrella «francesa» del strip-tease es de veras una española abandonada por su marido que se vende para mantenerse a sí misma y a su niño. Mientras empieza a quitarse la ropa, acompañada por una música fúnebre, su voz en *off* nos revela sus pensamientos:

> Qué rara es la vida: desnudarse delante de toda esta gente para poderse vestir decentemente... *(SST,* 7).

Siempre con una actitud crítica ante aspectos de la sociedad contemporánea en general y de la española en particular, *Spain's Strip-Tease* repite ideas expresadas en las obras históricas. Manola, quien se rebela contra su destino de mujer-objeto, afirma que la decente casada burguesa es tan prostituta como ella porque vive de un hombre. Manuela protesta, pero en su reacción indica la verdad de la acusación:

> ¿Y la fidelidad? ¿No tiene mérito? Aguantar a un renacuajo toda la vida... Amar y despreciar a quien se ama: esa es mi cruz, señor *(SST,* 15).

---

[36] *Spain's Strip-Tease,* manuscrito inédito, pág. 22. Las citas son del manuscrito y se indicarán en el texto por *SST.*

Gala parece rechazar tanto el papel estereotipado de la mujer de su casa como el del macho español.

> Macho, quijote, donjuán, ingobernable, torero, despectivo y genio de repente. Todo el gran repertorio. Es usted un estuche, amigo. Lo debían pegar en las paredes como cartel turístico (*SST*, 19).

Igual que en *Anillos para una dama* y *¿Por qué corres, Ulises?*, la guerra, gran mal de la humanidad, se identifica con el macho:

> Ay, si los hombres parieran
> que pocas guerras habría....

> (*SST*, 30)

Sin embargo, la crítica de *Spain's Strip-Tease* es más bien leve y la conclusión de la obrita es optimista e idealista, recordando *Los verdes campos del Edén* en la esperanza que encuentra en el amor y en la maternidad. Asimismo, se parece a la primera pieza de Gala y a *El caracol en el espejo* por su tratamiento alegórico de la vida humana. La obra termina con las palabras de la vieja Manola, la de los lavabos del café. Para ella, lo importante es vivir, y saber que hay sólo dos clases de personas:

> ni blancos ni negros, ni comunistas ni capitalistas, ni, como en los lavabos, señoras y caballeros [...] Sólo hay dos clases de personas: los vivos y los muertos (*SST*, 31).

Aunque *Noviembre y un poco de yerba* y *Spain's Strip-Tease* son anteriores a *Los buenos días perdidos*, ésta, por tener éxito en un teatro comercial, es la obra que anuncia de veras la segunda época teatral de Gala, a la vez que da a conocer al gran público su manera más típica de tratar la actualidad española: la integración de una trama exterior con un plano alegórico y de la gracia verbal con un trasfondo trágico.

Gala ha intuido que había que superar los esquemas del realismo con los elementos poéticos y con todo tipo de connotaciones simbólicas que permitieran una lectura a varios niveles y en donde el espectador completase la propuesta «abierta» de la obra[37].

En la misma línea del panteón de *Los verdes campos del Edén,* el sótano de la estación de ferrocarril de *Noviembre y un poco de yerba,* y la celda prioral del convento de *Petra Regalada,* la escenografía de *Los buenos días perdidos* está llena de sugerencias metafóricas. La acción transcurre en la antigua capilla de Santo Tomé, en una iglesia del siglo XVI, pero transformada por la presencia de un sillón barbero, muebles de plástico y formica, y electrodomésticos[38]. Sobre la tradición española se ha superpuesto la sociedad de consumo y la comercialización de todo, incluso lo más sagrado.

Los habitantes de la capilla son tres: Consuelito, mujer graciosa pero simple que se refugia en sus recuerdos infantiles y sus sueños; Cleofás, su marido, un pobre hombre bondadoso pero inútil, ex-seminarista que trabaja de sacristán, barbero y profesor de latín; Hortensia, madre de éste, mujer dominante, materialista, hipócrita, declaradamente de derechas pero ex-prostituta y proxeneta. Es Hortensia quien dirige la adquisición a plazos de un sin fin de electrodomésticos, pagándolos por la sistemática expoliación de los bienes de la parroquia. El párroco don Remigio, su protector, es demasiado viejo y senil para darse cuenta de los robos. A este mundo grotesco llega el forastero con su mensaje de ilusión, como Juan en *Los verdes campos del Edén,* aunque en este caso Loren-

---

[37] Ricard Salvat, «Prólogo» a *Años difíciles: 3 testimonios del teatro español contemporáneo,* Barcelona, Bruguera, 1977, pág. 46. Las citas de *Los buenos días perdidos* se indicarán en el texto por las letras *BDP* y son de la edición Escelicer, publicada en Madrid, 1973.

[38] Contribuyó al éxito de *Los buenos días perdidos* la ingeniosa escenografía barroca de Francisco Nieva. En particular, se han señalado con frecuencia las semejanzas entre este decorado y el de Andrea D'Odorico para *Petra Regalada.*

zo resulta no sólo más ladrón que Hortensia, sino un chulo que seduce a la pobre Consuelito con el sueño de tocar las campanas de Orleáns. Sólo cuando Lorenzo ya ha dejado a Consuelito preñada, vendido las campanas del campanario y robado el dinero de Hortensia, encuentra Cleofás la fuerza de carácter para echar a Lorenzo de su casa y tratar de establecer una nueva vida honrada. Es demasiado tarde. Siempre en busca del paraíso prometido, Consuelito sube al campanario y se tira, matando así no sólo a sí misma, sino también al niño de la esperanza.

Se ha caracterizado la obra como «farsa trágica» y en este sentido es representativa de la tragicomedia de Gala. Muchas de las situaciones y el diálogo son cómicos, siguiendo las normas de la farsa. En el centro de la tensión entre lo cómico y lo trágico está Consuelito, el personaje más desarrollado, más expresivo y más poético de la obra. Además de ser una protagonista muy dentro de la trayectoria de personajes femeninos de Gala, desde la pobre Ana de *Los verdes campos del Edén* hasta las mujeres-objetos rebeldes de *Anillos para una dama* y *Petra Regalada,* por su identidad con la vida circense y su deseo de escaparse de su triste realidad, es una figura que recuerda a la Paula de *Tres sombreros de copa* de Miguel Miura. El suicidio de Consuelito, desenlace que aparentemente desagradó a muchos espectadores[39], tiene su preparación ya desde el principio de la tragicomedia. Como A. y Z. de *El caracol en el espejo* y, hasta cierto punto, el mismo Lorenzo de *Los buenos días perdidos,* es un personaje desilusionado.

> Yo quise ser campanera. Yo quise ser de todo. Pero doña Hortensia me quitó la ilusión *(BDP,* 11).

Cleofás la quiere, pero ni le muestra su afecto ni la protege de los malos tratos de Hortensia. Consuelito se

---

[39] José Monleón alude a esta reacción negativa ante «las negruras de la segunda parte», en «La vuelta de Antonio Gala», *Primer Acto,* número 150, noviembre de 1972, pág. 30.

considera ya muerta en este ambiente represivo. Durante un breve momento de su vida Consuelito estará contenta con su amor por Lorenzo, su sueño de viajar con él, y la esperanza del niño que va a nacer. Cuando sabe que Lorenzo se marcha sin ella, «levanta el vuelo» para ir sola a «Orleáns», «lo único que es verdad» (*BDP,* 72). Orleáns, sin embargo, es mentira. Como dice Gala en su antecrítica.

> La verdad y el dolor, por crueles que sean, nunca nos asesinan. Nos asesinan los inventados sueños y el engaño[40].

Lorenzo, el falso redentor, mata a Consuelito en su paraíso mítico.

Por otra parte, no es Orleáns la única ilusión falsa ni Consuelito la única persona que sufre un desengaño en la obra. Hortensia, cegándose ante el futuro inevitable, espera siempre una herencia de un primo en la Argentina:

> Seguramente Dios, en su infinita misericordia, recogerá a mi primo Sabas antes que a don Remigio... (*BDP,* 36).

Así ocurre, pero Hortensia recibe la noticia por la carta de unas monjas que cuidaron al pobre Sabas por caridad y que le piden a ella, «la pariente rica», algún dinero. Al contrario de Consuelito, Hortensia sobrevive a la desilusión económica, la pérdida del guapo Lorenzo, y la trágica muerte de Consuelito, todo sin cambiar nunca su personalidad esperpéntica. Como al final de *Las cítaras colgadas de los árboles,* hay en los últimos momentos de *Los buenos días perdidos* un efecto milagroso, pero la actitud de Hortensia lo deforma lo mismo que ha deformado la realidad cotidiana, manteniendo así el tono tragicómico y desesperanzado:

> HORTENSIA, ...¡Ay, tonta hasta el final! ¡No ha servido ni para vivir! (*Comienzan a descender las campanas*

---

[40] *Teatro español, 1972-1973.* pág. 217.

*reales del ángelus.)* ¿Qué son esas campanas? ¿Un milagro? Gracias, Señor. *(Tono maldito.)* ¡Por lo menos
queda algo que vender! *(En trágica farsante, yendo
hacia la calle.)* ¡Consuelito, hija mía! ¡Qué desgracia
más grande!

(BDP, 72).

Aunque Gala advierte en su antecrítica que *Los buenos
días perdidos* no es, en definitiva, una obra simbólica, el
texto sugiere ciertos paralelismos entre el nivel anecdótico y la realidad española de la posguerra. No se trata de
una alegoría política con correspondencias exactas entre
personajes individuales e instituciones o clases sociales [41],
pero sí lo es, en conjunto, de los mismos aspectos de la
sociedad contemporánea que satiriza en *¡Suerte, campeón!* Cuando Cleofás dice,

> Llevamos muchos años viviendo de mentiras, que no
> creemos ya ni nosotros (*BDP*, 36),

puede referirse a la situación nacional lo mismo que a su
propia casa. En efecto, la casa puede ser España. Momentos antes del suicidio de Consuelito, Cleofás habla de
la libertad y de su deseo de salir de la Capilla de Santo
Tomé:

> Esta madrugada, por el río, iba yo pensando. Lo espa-
> ñol que es todo esto: nos hartamos primero de darnos pu-
> ñetazos y después, como quien no ha hecho nada, nos
> sentamos y nos ponemos a soñar el mejor de los mundos:
> un escorial de plástico... (*BDP*, 71).

La referencia a la Guerra Civil y al creciente materialismo de la posguerra queda bastante clara. El deseo de

---

[41] No estoy de acuerdo con Álvaro Custodio y Ángeles Cardona de
Gibert, quienes opinan que Lorenzo representa el Ejército; Cleofás, la
Iglesia; Hortensia, el gobierno, y Consuelito, el pueblo. Véanse su edi-
ción de Antonio Buero Vallejo, *Las cartas boca abajo*, y Antonio Gala,
*Los buenos días perdidos*, Tarragona, Ediciones Tarraco, 1976, pá-
gina 201.

Cleofás es dejar el mundo falso y cerrado de la capilla; quiere que nazca el niño

en la pura calle, libre de elegir su parroquia (*BDP*, 71).

Según varios críticos, un fallo de *Los buenos días perdidos* e incluso del teatro de Gala en general es la falta de desarrollo psicológico de sus personajes. «Tus personajes suelen carecer de subtexto», le dijo José Monleón en una mesa redonda[42]. De igual manera observa Francisco Ruiz Ramón que el cambio en la actitud de Cleofás, al final de la obra, es una «conversión no motivada en el interior del mundo dramático» y, por eso, gratuita[43]. En el contexto de la obra, tal crítica no es justificada. Gala nunca pretende escribir dramas psicológicos y sus personajes, aunque parezcan reales y tengan una gran vitalidad, tienden a ser figuras alegóricas, arquetipos o caricaturas. No les falta subtexto, pero el subtexto suyo no es psicológico, sino político o metafísico. En el caso específico de Cleofás, su reacción negativa ante el ambiente de degradación creado por su madre es evidente desde sus primeras líneas. Al principio del segundo acto, cuando sale Cleofás por primera vez, le habla al cliente mudo, don Jenaro, precisamente sobre lo político:

Cuando los hombres no buscan ya ser libres, se ponen en manos de quienes les proporcionen un espejismo de seguridad... (*BDP*, 24).

Al eslogan abiertamente franquista de su madre —«Paz y lavadoras; ese es nuestro lema» (*BDP*, 35)— contrapone la advertencia de que don Remigio, el párroco protector, tiene una edad avanzada y que habrá que enfrentarse con la verdad después de su muerte inevitable. Como después en *Anillos para una dama, ¿Por qué corres, Ulises?* o *Petra Regalada,* Gala está comentando el fin del

---

[42] A. Gala, J. L. Alonso y J. Monleón, «En torno a *Los buenos días perdidos*», *Primer Acto*, núm. 150, pág. 25.
[43] Ruiz Ramón, *Historia del Teatro Español. Siglo XX*, 3.ª ed., Madrid, Cátedra, 1977, pág. 523.

franquismo. Cleofás nunca acepta de veras la actitud de su madre, pero como la «mayoría silenciosa» de cualquier país, permanece en actitud pasiva hasta que tiene que hacer cara a una potencial pérdida personal. El autor parece decirnos que el despertar de Cleofás llega demasiado tarde para evitar la destrucción de, por lo menos, una parte de la esencia española y la esperanza para el futuro.

Escena clave para entender el mensaje sociopolítico de la tragicomedia es el momento esperpéntico en que Hortensia y Lorenzo abren la tumba de doña Leonor, fundadora, para robar las riquezas del pasado. Encuentran sólo una momia y un papel:

> Así era todo: por fuera las alhajas y por dentro la podre (*BDP,* 55).

Como siempre, Gala desmitifica la historia española y el pasado glorioso. En el papel, única riqueza de la tumba, hay unos versos de Quevedo. El soneto original es una

> advertencia a España de que ansí como se ha hecho señora de muchos, ansí será de tantos enemigos invidiada y perseguida, y necesita de continua prevención por esta causa[44].

Gala suprime las referencias a otros países, transformando tres de los seis versos que cita en su obra. Los que guarda casi en su forma original son éstos:

> Es más fácil, España, en muchos modos
> que lo que a todos les quitaste sola
> te puedan a ti sola quitar todos.
>
> (*BDP,* 55)[45]

---

[44] Quevedo, *Obras completas,* ed. José Manuel Blecua, I, Barcelona, Planeta, 1963, pág. 63. Luis Cañizal de la Fuente da un análisis interesante del uso en *Los buenos días perdidos* de estos versos de Quevedo tanto como de unas páginas de Clarín. Véase «Antonio Gala trasplanta una situación de *La regenta*», *Ínsula,* núm. 405, septiembre de 1980, págs. 3 y 14.

[45] El duodécimo verso del soneto original incluye dos palabras que Gala ha eliminado: «*Y* es más fácil, ¡*oh* España!...»

En el contexto de *Los buenos días perdidos* los «todos» que amenazan el futuro de España no son las naciones extranjeras, sino los españoles mismos, los que por debilidad o por malicia dejan prostituirse el país.

Al presentar en forma alegórica la sociedad española de la posguerra, Gala no divide claramente a sus personajes en dos bandos. Aunque Hortensia y Lorenzo son los personajes activos en contraste con la debilidad y pasividad de Consuelito y Cleofás, aun ellos son víctimas, en parte, de la Guerra Civil, de la pobreza o de la falta de libertad individual. Lorenzo no pudo escoger libremente el camino de su vida por la actitud represiva de su padre[46]. Hortensia, como Carmela en *¡Suerte, campeón!,* se entregó a la vida por necesidad. Los dos aprendieron primero a vender sus cuerpos y después a vender el patrimonio. Sin embargo, si en el plano anecdótico Consuelito es el personaje central, en el plano alegórico-político es Hortensia quien desempeña este papel. Es una figura esperpéntica, deformada como si pasara delante de los espejos cóncavos valleinclanescos. Es ella quien encarna todos los peores defectos de la posguerra española, desde la hipocresía religiosa, moral y política hasta el materialismo más dañino. Ex-prostituta y proxeneta, suprime las «cochinerías» de Cleofás y Consuelito cuando recién casados, pero hace del cuerpo de Lorenzo un buen negocio. Empeña los bienes de la parroquia, pero critica a los malos cristianos que no dan limosna. Ataca a los comunistas, pero aceptaría la herencia de su primo rojo: «Yo soy muy de derechas, aunque sé perdonar» (*BDP,* 18). Sin respeto por el patrimonio cuando ve la posibilidad de ganar dinero, pondría «un barecito mono» (*BDP* 18) en la capilla si Cleofás lo permitiera. Como los personajes de *¡Suerte, campeón!,* su deseo es comprar, siempre a plazos:

---

[46] Tanto Lorenzo como Cleofás reflejan elementos algo autobiográficos del autor. Lorenzo entró en el seminario para no hacerse farero como quería su padre. Cleofás fue obligado a hacer oposiciones al Ministerio de Obras Públicas por su madre.

> Vivimos como todo el mundo. Como las personas de-
> centes: ni una peseta ahorrada (*BDP*, 30).

No aprecia los valores históricos ni artísticos, prefiriendo lo plástico y utilitario a la gran herencia del pasado.
En sus obras históricas, Gala sistemáticamente desmi-
tificó la Historia, mostrando la angustia humana que hay
bajo la supuesta grandeza. En las obras contemporáneas
el cordobés desmitifica el presente, mostrando el vacío
cultural y espiritual que subyace a un supuesto progreso.
Aunque la censura no le dejó satirizar abiertamente la sociedad de consumo y la hipocresía materialista de la época franquista, Gala, sin embargo, logra comunicar esta
misma crítica social por medio del simbolismo en *Los
buenos días perdidos.*

Tanto *La vieja señorita del Paraíso* como *Petra Regalada,* las dos obras estrenadas en 1980, continúan en la
misma corriente de alegoría contemporánea que *Los buenos días perdidos.* Menos política que *Petra Regalada,
La vieja señorita del Paraíso* presenta una temática y
unos personajes relacionados con los de *Los verdes campos del Edén,* así mostrando de nuevo la unidad esencial
del teatro de Gala.

El Paraíso es un café donde Adelaida espera desde hace más de cuarenta años la vuelta de un hombre desconoci-
do de quien se enamoró en un flechazo. A través de
los años, Adelaida llega a ser una atracción turística
además de la gran predicadora del amor y la esperanza. Igual que Juan en *Los verdes campos del Edén,* o Lázaro en *Las cítaras colgadas de los árboles,* habla la vieja
señorita de un paraíso donde los seres humanos puedan
realizar el amor y la libertad; igual que ellos, Adelaida
fracasa.

Como siempre, Gala ve el amor como una fuerza vital
en oposición a la guerra, el materialismo y las rígidas es-
tructuras de la sociedad. El antagonista de Adelaida y de
su mensaje de amor es Míster Stone, capitalista america-
no y nuevo dueño del Paraíso, quien quiere construir una
fábrica de armas en la Isleta, lugar lleno de tradición para

los novios del pueblo. Al principio de la lucha inevitable entre las dos fuerzas, el único aliado de Míster Stone es el alcalde. Unidos a Adelaida están los amantes: Micaela, mujer simple que recuerda a Ana de *Los verdes campos del Edén,* siempre enamorada de su difunto Juan; la camarera y el guitarrista negro; el hijo del alcalde y su amigo; la condesa y el sacerdote. Con las tres parejas Gala da sentido amplio y abierto a su habitual grito por la libertad de amar de cada individuo, que ya introdujo en *Anillos para una dama.*

Aunque en el teatro de Gala el amor puede ser una fuerza vital libertadora, también puede llevar al individuo a la desilusión y aun a la destrucción. Don Borromeo, el sacerdote, no es capaz de luchar contra la hipocresía; abandona el paraíso de Adelaida y a Elena, su novia de juventud. Tobías, al pensar que su amor por Ramiro, hijo del alcalde, es imposible, se mata. Al final Adelaida descubre que sus armas —la bondad, la alegría, el amor, la inteligencia, la lealtad— no son suficientes contra los efectos deshumanizadores del poder y el materialismo. Va a morir emparedada en el Paraíso que Míster Stone clausura.

Después del desenlace relativamente optimista de *Petra Regalada, La vieja señorita del Paraíso* es una vuelta al tono más bien negativo del teatro de Gala en general. El mensaje de Adelaida no muere del todo con ella. Queda vivo en Ismael, el guitarrista; Gracia, la camarera, y Ramiro, igual que quedaba alguna esperanza al final de *Los verdes campos del Edén* o *Las cítaras colgadas de los árboles,* pero es tan imposible vivir en el Paraíso como en el panteón ancestral de Juan o en la capilla de *Los buenos días perdidos.* Con las obras de clausura al final de *La vieja señorita del Paraíso,* Gala insiste de nuevo en su metáfora de un mundo cerrado donde no se admiten la libertad individual ni la felicidad.

# Noviembre y un poco de yerba

*Noviembre y un poco de yerba,* la primera obra de Gala que trata directamente la realidad española contemporánea, se estrenó el 14 de diciembre de 1967 en el Teatro Arlequín en Madrid. A pesar de contar con un director y una compañía muy conocidos (Enrique Diosdado-Amelia de la Torre) y del apoyo entusiasta de críticos, como Pedro Laín Entralgo, José Monleón y José María Rodríguez Méndez, la pieza (excluyendo *El sol en el hormiguero* que fue retirada de cartel por la censura) ha sido el único fracaso de la carrera teatral del escritor cordobés. ¿Cómo se explica la falta de interés del público en aquel momento o, por el contrario, la inclusión de la obra en la presente edición?

Las dificultades que encontró *Noviembre y un poco de yerba* en la temporada 1967-68 pueden atribuirse a la estructura (más vanguardista que naturalista) y a la temática (visión áspera de los efectos duraderos de la Guerra Civil). Según la crítica negativa, los personajes no tenían vida, casi no había acción dramática y, como siempre, Gala pecó de verbalismo. La crítica positiva, aunque también destacó algún exceso literario en el estilo y ciertos fallos en la caracterización o el desenlace, concluyó que la obra era admirable, pero que el espectador español no estaba listo para el comentario sobre los vencidos totales de la guerra que Gala había presentado sin blandura y sin falsedad[1].

---

[1] Las reseñas más bien negativas de Enrique Llovet *(Informaciones),*

Juzgada conforme a las normas del teatro realista-naturalista, *Noviembre y un poco de yerba* es muy claramente una obra defectuosa. Paula, la protagonista, vive desde hace veintisiete años en la bodega de una estación de ferrocarril. La acompañan su madre loca y Diego, soldado republicano que se refugió al final de la Guerra Civil y sigue escondiéndose. Paula habla con Tomás, el guardabarreras cojo, que vive arriba y que le escribe cartas de amor. También dialoga abajo con Diego, representando con él escenas repetidas diariamente durante años y participando en juegos infantiles. Escucha las canciones infantiles y los imaginarios recuerdos eróticos de su madre. Por fin, cuando se enteran de la amnistía del 28 de octubre de 1966, Diego sube la escalera con su fusil de militar, tropieza, y se mata accidentalmente. En efecto, casi no hay acción dramática, no hay ningún desarrollo psicológico de los personajes, y el desenlace puede parecer artificial, superpuesto al argumento. Según Ruiz Ramón, no entendemos por qué la madre se concentra en lo sexual, no sabemos por qué Diego carga el fusil consigo, y la muerte accidental de éste resulta un «puro golpe teatral» (pág. 522). La opinión de López Sancho es semejante:

> No encontramos en Paula y Diego verdad humana. No pueden haber vivido treinta años en sutiles invenciones, superiores a los personajes que ellos son [...]. No tiene Diego eco alguno de su vida, de su profesión, de su con-

---

y Lorenzo López Sancho *(ABC)*, y el estudio favorable de Laín Entralgo *(Gaceta Ilustrada)*, están transcritas en la antología *Antonio Gala*, páginas 108-118. La reseña de Monleón se publicó en *Primer Acto*, número 93 (1968), págs. 70-71. La de Rodríguez Méndez *(El Noticiero Universal)* está transcrita en *Primer Acto*, núm. 94 (1968), págs. 16-18. Véanse también las reseñas citadas por Francisco Álvaro en *El espectador y la crítica (El teatro en España en 1967)*, Valladolid, edición del autor, 1968, págs. 174-179. En su análisis posterior, Ruiz Ramón rechaza las opiniones favorables, presentando una breve crítica negativa *(Historia del Teatro Español. Siglo XX,* págs. 521-522.) Las citas en los párrafos que siguen son de estas ediciones y se indicarán por los números de páginas en el texto.

dición social, de su drama de hombre político [...]. El
decorado de Torre de la Fuente es más realista que la
obra. Tiene una valor plástico positivo que denuncia vi-
gorosamente la irrealidad de los pocos sucesos que pre-
senciamos... (págs. 112-113).

Aunque más equilibrado, el juicio de Sáinz de Robles
llega a la misma conclusión: Es una

> obra ambiciosamente concebida, pero desarrollada sin fe-
> licidad, acaso por sobra de poesía rebuscada y por falta de
> sincero realismo[2].

Los que tachan la obra de poco realista no se refieren
a la situación en sí, ya que cuando Gala empezó a escribir *Noviembre y un poco de yerba* en 1967, durante su
estancia en la Universidad de Indiana en los Estados
Unidos, ya había salido un asturiano de su escondite de
casi treinta años y después se publicaron noticias de
otros casos en Andalucía, por ejemplo, los panaderos
Juan y Manuel Hidalgo en Marbella y el carpintero Juan
Rodríguez Aragón en Cádiz. En el fondo, la historia de
Diego se basa concretamente en la realidad española y la
pieza, aunque no «realista» en la forma, es uno de los
primeros intentos de tratar abiertamente en un escenario
español un tema relacionado con la Guerra Civil.

Laín Entralgo, al buscar la explicación del fracaso de
*Noviembre y un poco de yerba,* repasó la lista, por cierto
no muy extensa, de obras teatrales que habían tratado el
tema de una manera u otra: «*La Muralla, Ninette, La
muchacha del sombrerito rosa* y *El tragaluz*» (págs. 116-
117). En su opinión, el éxito popular de estas piezas se
debía a «la ruptura con el maniqueísmo político», es decir, con la fácil clasificación de los contendientes en
buenos y malos, vencedores y vencidos. El crítico encuentra en estas obras un invisible «también»: también

---

[2] Federico Carlos Sáinz de Robles, ed. *Teatro español, 1957-68,* Madrid, Aguilar, 1969, pág. xviii.

«ellos» tenían méritos, también «nosotros» hicimos mal. Según Laín Entralgo, Gala sigue en esta línea, pero lo hace con una «cruda y trágica entereza» que no halaga «la tópica tendencia del público español a la comodidad» (página 117). Su juicio es acertado, pero merece la pena estudiar más detalladamente las diferencias entre estos éxitos y la obra de Gala.

*La muralla* (1954), gran triunfo de Joaquín Calvo Sotelo, tiene cuatro diferencias fundamentales con *Noviembre y un poco de yerba:* 1) no muestra directamente el sufrimiento y miseria ni de la guerra ni de la posguerra; 2) se concentra en un caso de conciencia individual; 3) tiene un desenlace que, al no cambiar el *statu quo,* deja al espectador libre de cualquier responsabilidad por la reforma social o política, y 4) está escrita dentro de las normas del drama psicológico-realista. Como drama psicológico-moralista, *La muralla* cabe perfectamente bien dentro de un subgénero que tiene una larga tradición en el teatro español. Lo innovador de la obra es sólo que el complejo de culpabilidad del protagonista tiene sus raíces en la Guerra Civil, pero el final, como Monleón señaló en su *Treinta años de teatro de la derecha* (1971), trata de no molestar demasiado al espectador burgués. El protagonista muere arrepentido, así salvando su alma, y su familia no tiene que sacrificar nada. Es un claro ejemplo de lo que George H. Szanto, en su *Theater and Propaganda* (1978), ha llamado «propaganda de integración». Según la teoría de Szanto, todo teatro es político aun en obras que no sean abiertamente de crítica social; el intento intrínseco de estas obras integristas es congelar la circunstancia social.

*Ninette y un señor de Murcia* (1964), éxito cómico de Miguel Mihura, tampoco trata directamente el sufrimiento y miseria ni de la guerra ni de la posguerra. Las ideas republicanas del exiliado español en Francia no representan ninguna amenaza en los años 60 para España. Si hay un mensaje político bajo la superficie más bien frívola de la farsa, es el de la reconciliación representada por el casamiento de la hija del republicano con el señor de Murcia. Tal reconciliación es un aspecto mucho más obvio y más importante en las comedias de Víctor Ruiz Iriarte, *La muchacha del sombrerito rosa* (1967) y *Primavera en la Plaza de París* (1968). Con el casamiento de la hija del vencido liberal (que vuelve a su país y a su mujer legítima después de años de exilio) con el hijo del conservador intransigente, el comediógrafo pide a sus compatriotas que olviden el pasado y las viejas enemistades para entrar en una nueva época de unidad. Más atrevida que *Ninette y un señor de Murcia,* *La muchacha del sombrerito rosa* muestra directamente, aunque de manera suavizada, el sufrimiento humano causado por los largos años de destierro político[3]. Sin embargo, esta triste realidad no choca al espectador por estar envuelta en una excelente comedia de forma tradicional.

El contraste entre *Noviembre y un poco de yerba* y las dos comedias de Ruiz Iriarte salta a la vista. Los personajes de Gala no son de la alta burguesía ni viven en un piso elegante de una vieja casa isabelina de la Plaza de París. Se encuentran bajo tierra en un mundo donde es imposible escaparse de veras de las secuelas físicas, psicológicas y políticas de la guerra. El sufrimiento no es de antes, sino de ahora. La reconciliación es imposible. La relación temática entre las piezas es más aparente que real y las diferencias en tono, caracterización, técnica y estructura son múltiples. Por consiguiente, es significativo que *Noviembre y un poco de yerba* fuera la obra que Enrique Diosdado y Amelia de la Torre escogieron para montar entre *La muchacha del sombrerito rosa* y su continuación, *Primavera en la Plaza de París.* Posiblemente el fracaso de Gala se debe, en parte, a esta circunstancia. El público tradicional que tragó con gusto la píldora dorada de la comedia de Ruiz Iriarte, queda-

---

[3] Ana Diosdado, hija de Enrique Diosdado y Amelia de la Torre, quien debutó como actriz en esta comedia de Ruiz Iriarte, recuerda que en la época se consideró bastante atrevida esta temática política. Entrevista personal, 22 de mayo de 1980.

ría desconcertado ante la medicina amarga de la tragicomedia de Gala. Por otra parte, el público joven tal vez no asistió a la obra del cordobés por identificarla con un tipo de comedia que tiende a pasar por alto.

De las obras que menciona Laín Entrango, la que más se acerca a *Noviembre y un poco de yerba* es *El tragaluz* de Antonio Buero Vallejo, tragedia que se estrenó el 7 de octubre de 1967 cuando *La muchacha del sombrerito rosa* seguía en cartel y unas diez semanas antes del estreno de la tragicomedia de Gala. Se han comentado con frecuencia las semejanzas entre *Noviembre y un poco de yerba* y *El tragaluz*[4]: el uso metafórico del sótano y del tren, la locura de la madre de Paula y del padre de Vicente y Mario como reacción ante las tragedias resultantes de la guerra, los efectos duraderos y dañinos del conflicto. No obstante la semejanza en la visión crítica de la realidad de la posguerra, el mayor éxito de *El tragaluz* puede atribuirse a elementos que no tienen que ver necesariamente con la relativa calidad literaria y teatral de las dos piezas. A pesar de su técnica expresionista (la externalización del mundo interno de los personajes), *El tragaluz* cabe dentro de la corriente de realismo-naturalismo que domina el teatro burgués español. Buero critica todo el ambiente de la posguerra con su pérdida de valores humanos y su énfasis en el éxito materialista, pero da pleno desarrollo psicológico a sus personajes principales. Como *La muralla* o *La casa de las Chivas* (1968), gran triunfo de Jaime Salom en que por primera vez el fondo dramático es la guerra misma, la situación básica de *El tragaluz* es un caso de conciencia individual y el mensaje implícito es moralista[5]. Vicente se da cuen-

---

[4] En sus comparaciones de *Noviembre y un poco de yerba* con *El tragaluz*, López Sancho prefiere la obra de Buero, mientras Rodríguez Méndez destaca los valores superiores de la de Gala.

[5] Según John Dowling, «la literatura española, en todos sus géneros, se caracteriza por el punto de vista moral y didáctico» («Teatro Cómico y lo cómico en el teatro español de la posguerra», *Hispania* 60 [1977], 902). Seguramente el tono moralista se encuentra en muchas obras teatrales, tanto cómicas como serias, y los estudios psicológicos de grandes

ta de su culpabilidad y es castigado. Mario, iluminado y purificado por la experiencia trágica, se casará con la amante de su hermano y dará su nombre al hijo de éste. El espectador no ha tenido que enfrentarse ni con un tipo nuevo de teatro ni con un final desesperanzado y agresivamente acusatorio[6].

En *Noviembre y un poco de yerba* el hecho de que Diego, por ser uno de los vencidos, tenga que privarse del sol y de la libertad para enterrarse vivo durante veintisiete años, es demasiado concreto y real para dejar al público distanciarse de la angustia humana que resultó de la guerra y la posguerra. López Sancho se refiere a la «reclusión voluntaria y clandestina» de los hermanos Hidalgo y sugiere que lo pasaron relativamente bien en su escondite:

> salieron de su prolongado retiro encanecidos y engordados, pero con todas las apariencias de una simplicísima y robusta salud moral (pág. 11).

Es un juicio difícil de compartir. Antes de la Ley de Amnistía, la reclusión, obviamente, no fue «voluntaria», sino basada en un miedo nada quimérico. El encarcelamiento, aun sin cárcel oficial, es una situación seria. En 1974 Juan José Alonso Millán trató como farsa la historia de un soldado nacionalista que sufre una reclusión de treinta y cinco años porque la mujer con quien buscó refugio durante la guerra no quiere perder su amor y por eso le engaña, convenciéndole de que las batallas continúan y la ciudad sigue bajo el control de los rojos. No obstante una reacción favorable por parte de los críticos, *Se vuelve a llevar la guerra larga* fue un fracaso económico. Según el comediógrafo, con la excepción de una minoría

---

conflictos morales o complejos de culpabilidad son frecuentes en el drama español.

[6] Aunque *El tragaluz* es innovador en su técnica teatral, los espectadores estarían preparados para la inmersión parcial en la conciencia de los personajes por obras anteriores, por ejemplo *La muerte de un viajante* de Arthur Miller.

a la cual su farsa le hizo mucha gracia, el gran público no estaba dispuesto a reírse de estas cosas[7]. Si siete años después de la Ley de Amnistía, cuando no había ningún caso reciente de refugiado que salía de su escondite, la fantasía de Alonso Millán no interesó, no es de extrañar que la situación real, cercana y angustiosa descrita por Gala fuera a incomodar al público.

Tanto la técnica como la temática de *Noviembre y un poco de yerba* estaba fuera de los límites de lo esperado en el teatro comercial madrileño de 1967. En este sentido, es significativo el comentario negativo de López Sancho. Obviamente juzgó la obra según las normas del drama realista-naturalista, buscando así los detalles del pasado de Diego, sus ideas políticas, la verdad de cómo pasaba el tiempo durante tantos años de reclusión. Monleón acierta al decir que Gala quería todo lo contrario del teatro naturalista:

> En todo caso, había que rehuir un naturalismo extremo, para conseguir que aquellas habitaciones sin sol tuviesen la significación cultural de las cárceles. Había que construir un decorado agobiante, en el que la luz fuese un elemento dramático más [...]. Desarrollada por vías naturalistas, resultaron falsas muchas cosas que no lo son, pero que demandaban otra vía estética de expresión (página 71).

La estética que pide Monleón se acerca al teatro de vanguardia. La bodega de la estación de ferrocarril, escenario que simboliza por lo menos una parte de la sociedad española, no sólo puede compararse con el sepulcro de *Los verdes campos del Edén* y con otros escenarios posteriores de Gala, sino con la extraña mansión de *Las hermanas de Búfalo Bill*, el castillo de *Oye, patria, mi aflicción,* o el balneario de *Retrato de dama*

---

[7] Entrevista personal, 26 de octubre de 1979. En uno de los cuadros de *Un paraguas bajo la lluvia* (1965), Ruiz Iriarte también presenta a una mujer que se aprovecha de la guerra para entrampar al hombre de quien está enamorada.

*con perrito.* Como Manuel Martínez Mediero, Fernando Arrabal y Luis Riaza, respectivamente, Gala quiere trascender los límites literales de su escenario para evocar todo un sector social y político. Sus personajes, igual que los de Arrabal en *El arquitecto y el emperador de Asiria* o los de Riaza en la obra ya mencionada, son actores dentro de la obra que interpretan sus propios papeles en el presente o en el pasado o los de otros personajes ausentes. *Noviembre y un poco de yerba* no llega al extremo de un teatro ritual o ceremonial, pero las escenas en que Diego y Paula repiten las mismas palabras y participan en los mismos juegos de siempre tienen un aspecto de rito y de teatro dentro del teatro no muy lejano al teatro de vanguardia que por fin llegó a los escenarios españoles en la época posfranquista.

La realidad de Paula, su madre, Diego y Tomás es una existencia estancada de la que no hay salida. Como los personajes de *Los buenos días perdidos,* también representativos de la sociedad española bajo Franco, Diego y Paula han vivido de mentiras. Aunque Diego es el único de los cuatro identificado directamente con los vencidos de la Guerra Civil, todos son víctimas de la guerra y la posguerra. Tomás está arriba, pero no tiene más libertad que los de abajo. Diego, de manera infantil, habla de la posibilidad de matar a Tomás para poder escaparse y tiene miedo de que Paula le delate, pero sus «carceleros» están tan atados a la triste estación de ferrocarril como él. Tomás, con su pierna de madera, no tiene a donde ir. Paula se refugió en la bodega cuando destruyeron su casa. Es significativo, en términos de un pueblo andaluz en los años 60, que los tres hijos de Paula y Diego, al abandonar a sus padres, se hayan marchado al extranjero para buscar trabajo. Claramente Gala, escribiendo desde Indiana, no sólo quiere simbolizar el exilio interior de muchos españoles en la época, sino también señalar la emigración por razones económicas, políticas o culturales[8]. En la visión de Gala, toda España es una bo-

---

[8] Gala, en una entrevista con Santiago de las Heras, habla de su es-

dega donde es imposible vivir de veras. Su mensaje es básicamente el mismo que en *Los verdes campos del Edén,* aunque más pesimista. Ya no se trata de buscar el paraíso, sino de sobrevivir en el infierno.

En cierta manera, estos personajes no tienen pasado. La guerra ha cambiado todo, dejándoles vagos recuerdos de felicidad y nada más. Tomás, como el viejo Marcos de *Las cítaras colgadas de los árboles* que siempre lleva consigo un pequeño ataúd con el esqueleto de su brazo, no puede olvidar la batalla en que perdió su pierna. Su existencia actual empieza con aquel momento y después varía muy poco. Paula, como Carmela en *¡Suerte, campeón!,* tenía dieciocho años y estaba enamorada, pero aquella muchacha inocente y alegre está muerta; mucho más vivo es su recuerdo del bombardeo que dejó a su madre loca y su casa y su jardín en ruinas. Aunque la Madre llama a Paula y Diego adúlteros (nunca se sabe, por cierto, si Diego está casado), sus recuerdos son aún más imprecisos que los de Tomás y Paula.

La Madre es el personaje que más se ha criticado como falso y literario, incluso como mera imitación de María Josefa en *La casa de Bernarda Alba.* Tal crítica negativa pasa por alto el valor intrínseco que tiene esta figura para captar el simbolismo de Gala. Igual que la madre loca de Bernarda en la tragedia de García Lorca, sus canciones y su diálogo en los momentos de lucidez iluminan la situación verdadera de los otros. María Josefa subraya la frustración de sus nietas. La Madre hace notar que debajo de la superficie de juego y rito, su hija siente gran miedo de perder a su amante. Cuando Diego sube la escalera por primera vez, Paula repite espontáneamente las palabras de su Madre. La importancia de la Madre, sin embargo, no se limita a este aspecto. Sus canciones no son poesías originales como las de García Lorca. Gala es poeta, pero prefiere usar poemas tradicionales y populares, recalcan-

---

tancia en los Estados Unidos y del hecho de que José Marín Recuerda y otros autores también iban ausentándose del país. («Entrevista con Antonio Gala», *Primer Acto,* núm. 94 [1968], pág. 16.)

do así el plano simbólico de su obra. Los temas repetidos en la veintena de poemas de la Madre son el amor y la muerte, sobre todo la muerte en la guerra. Los personajes de *Noviembre y un poco de yerba* pertenecen no sólo a la historia actual de España, sino a la intrahistoria. En la guerra, cualquier guerra, el pueblo queda mutilado y enajenado. Como siempre, Gala prefiere el Amor (fuerza vitalista) a las grandes palabras (Patria, Dios) que conducen a la muerte y al sacrificio inútil.

En su locura, la Madre revive momentos eróticos con un tal Dionisio. Al contrario de los lejanos recuerdos de los otros personajes, la Madre habla con precisión de estas escenas de pasión; según Paula, son escenas imaginarias, deseos ocultos a los cuales su Madre da libre expresión porque nos lo ha podido realizar. Viuda respetable, la Madre se había comportado de acuerdo con las normas puritanas de la sociedad española de los años 20 y 30[9]. Por consiguiente, el uso del nombre Dionisio (dios de la bacanal) aquí es tan irónico como en *Tres sombreros de copa* de Mihura[10]. La locura pornográfica de la Madre es una reacción ante años de represión sexual, represión que continúa en los años 60. Después de veintisiete años juntos, Paula y Diego sólo pueden hacer el amor después de interpretar la escena de su noche de llegada cuando ella era virgen y taparon el espejo por pudor.

La crítica implícita del ambiente cerrado de la época franquista también se encuentra en los únicos libros que Paula le da a Diego para matar el tiempo: el Kempis y la cartilla, es decir, un libro religioso y un libro infantil. Suprime los periódicos para que no sepa lo que pasa afuera

---

[9] A pesar del pasado más bien vago de los varios personajes, se puede precisar que Paula nació en 1918 (tenía dieciocho años cuando estalló la guerra) y que su padre murió cuando ella tenía tres años.

[10] El personaje femenino principal de esta comedia de Mihura también se llama Paula. Posiblemente el uso de los dos nombres no es sólo casualidad. Gala cree que su teatro no tiene nada que ver con Benavente, con quien la crítica suele compararle, pero que hay alguna ligera relación con Mihura. Entrevista personal, 27 de octubre de 1979.

y, por la misma razón suprime el calendario y las Navidades, para que no sepa que el tiempo pasa. El intento de Paula de funcionar como la censura franquista fracasa cuando deja entrar en la bodega una radio transistor con las voces del mundo exterior. Igual que en *Los verdes campos del Edén,* la radio destruye la ilusión. Paula y Diego ya no pueden engañarse mutuamente. Por fin Diego pueden enfrentarse con la realidad y subir en busca de la libertad y de una nueva vida con Paula. Pero para ellos es demasiado tarde; Diego y su esperanza son muertos por la única bala que le queda de la Guerra Civil.

Para casi todos los críticos, aun los que apoyaron la obra, el mayor fallo de *Noviembre y un poco de yerba,* desde una perspectiva dramática, es precisamente este final trágico. A primera vista, es verdad que parece una técnica *deus ex machina.* Una lectura cuidadosa del texto revela, sin embargo, que no es un final totalmente inesperado. Las referencias al fusil son varias, incluso con respecto al miedo de Paula. Cuando llega Diego durante la guerra, Paula piensa al principio que la amenaza con el fusil. Diego piensa matar a Tomás con la bala que le quede. Paula quiere que entregue el fusil para evitar un castigo, porque Diego no tiene licencia de armas. La introducción del fusil responde así a la construcción tradicional de obras teatrales; el espectador sabe que el fusil representa un peligro y debe anticipar que tendrá su importancia en un momento determinado. Por otra parte, en el primer acto Diego habla de su propia muerte y pregunta a Paula dónde va a enterrarle en la bodega. Es una clara preparación para el desenlace. En otros términos, la muerte de Diego y, con él, de la esperanza, es inevitable dada la visión pesimista de Gala. En otras piezas simbólicas posteriores, tales como *Los delfines* de Salom, o *Las hermanas de Búfalo Bill,* se ha sugerido que la muerte de Franco no será el fin del franquismo. En *Noviembre y un poco de yerba,* de igual manera, Gala quería decir que una ley de amnistía no bastaría para cambiar la realidad española y dejar entrar en un mundo nuevo a los vencidos y fracasados de la posguerra.

Tal vez *Noviembre y un poco de yerba* no llegue a la calidad dramática y teatral de las obras maduras de Gala, pero su falta de éxito en 1967 no es atribuible a los valores de la obra misma, sino a la época en que se estrenó. El público español todavía no estaba preparado ni para el mensaje ni para la ruptura con las formas teatrales tradicionales.

## Petra Regalada

De varias maneras, *Petra Regalada* sintetiza las tendencias dominantes del teatro de Gala. El escenario, un viejo convento de clausura convertido en burdel, es, como el panteón de *Los verdes campos del Edén* o la antigua capilla convertida en vivienda de *Los buenos días perdidos,* otra metáfora para España[1]. En la línea de *Noviembre y un poco de yerba,* la temática también es la situación contemporánea española, con un comentario bastante obvio sobre el fin del franquismo y los peligros políticos de la época posfranquista. El personaje principal, Petra, está relacionado con toda una serie de figuras femeninas, desde la Reina en *El sol en el hormiguero* hasta Jimena y Penélope. Mario, el joven forastero que llega con su mensaje de libertad, justicia social y amor, pertenece a la serie de redentores o falsos redentores introducidos antes en *Los verdes campos del Edén, Los buenos días perdidos* y *Las cítaras colgadas de los árboles.* El final, el más esperanzador entre los de las obras que tratan directamente el presente o el pasado de España, repite en gran parte el desenlace de la alegórica *El sol en el hor-*

---

[1] Juan Emilio Aragonés hace una comparación detallada de la escenografía de Andrea D'Odorico para *Petra Regalada* y la de Francisco Nieva para *Los buenos días perdidos* en su reseña «*Petra Regalada* o el barroquismo teatral», *Nueva Estafeta,* núm. 16 (marzo de 1980), página 119. Véase también Florencio Segura. «La España de Antonio Gala: *Petra Regalada*», *Razón y Fe,* núm. 985 (marzo de 1960), pág. 37.

miguero. Si en algo se distingue *Petra Regalada* de la obra anterior de Gala es en el complicado proceso de mitificación-desmitificación y su concomitante desarrollo en múltiples planos, tanto del personaje de Petra como del cacique Don Moncho.

En su nivel más superficial, *Petra Regalada* es un comentario sobre la situación política actual en España. Es una temática que casi no se trató en las tablas a raíz de la muerte de Franco (con la notable excepción del teatro propagandístico de la extrema derecha) hasta la temporada 1979-80, cuando se estrenaron *Tartufo* de Llovet y Marsillach, *Jueces en la noche* de Buero Vallejo y *Petra Regalada*. Con razón o sin ella, los críticos en general atacaron a estas tres obras, aunque el público las recibió con bastante entusiasmo. De las tres fue *Petra regalada* la menos polémica, tal vez por no criticar directamente al gobierno. Gala mismo ha explicado que escribió su comedia porque quería pensar en el futuro de su país, no en el pasado. Sin embargo, no quería que *Petra Regalada* fuese una profecía de lo que va a suceder en España, sino simplemente una advertencia.

> Lo que el pueblo español necesita ahora es una esperanza, una ilusión, un partir de nuevo, pero no volver la cara para ver lo que se ha hecho mal[2].

Según la interpretación alegórica, los diversos personajes representan algo o alguien específico. Son tres los franquistas:

> Don Moncho —el dictador—, el notario Don Bernabé —su cómplice legal, diríamos institucional— y Arévalo —la fuerza represiva[3].

Mario, joven liberal, es al principio el que quiere incitar la rebelión contra las fuerzas represivas pero que,

---

[2] Entrevista personal, 27 de octubre de 1979.
[3] Lorenzo López Sancho, «*Petra Regalada*, alegoría barroca de Gala», edición semanal aérea de *ABC*, 28 de febrero de 1980, pág. 29.

después de la muerte del dictador, pacta con los restantes franquistas para establecer su propio poder al mantener el *statu quo*. En el montaje madrileño la identificación de Don Moncho con Franco fue reforzada por un gran retrato del cacique que se parecía bastante a las conocidas fotos del Generalísimo. Al salir Mario con un jersey rojo, el público podría fácilmente pensar en Felipe González, si no en otro joven socialista o comunista. Al final de la obra, el pueblo mata al nuevo cacique-pactante y se enfrenta con un futuro realmente libre de represión política. Lejos de ser ambiguo, como dijeron algunos críticos, el desenlace con las palabras finales de Petra apunta claramente a una solución revolucionaria, anárquica y esperanzada. La advertencia de Gala también queda clara: Si los liberales no destruyen las murallas que tradicionalmente encierran al pueblo, el pueblo luchará por su propia libertad.

Dentro del texto hay bastantes alusiones a los abusos del poder durante la época franquista que subrayan este aspecto de la obra, aunque Gala nunca se refiere directamente a ningún individuo histórico ni a ningún suceso concreto. En los principios del primer acto, Arévalo le dice a Don Moncho que un pobre joven, para que su madre no pase hambre, ha vuelto a cazar en el coto del cacique; la próxima vez, le matarán como «ejemplo ejemplar». De los crímenes económicos cometidos por los amigos de Don Moncho habla Mario mientras por altavoz dan noticias médicas sobre el moribundo prócer. De la misma manera, su crítica de un gobierno que tenía «la fuerza en una mano y en la otra a Dios» está dirigida abiertamente a la realidad española del franquismo y la estrecha unión de Estado e Iglesia en aquella época. La actitud penitente de Don Bernabé y Arévalo ante la muerte del cacique, es decir, su deseo de colaborar con cualquier nuevo gobierno, mete a estos personajes «chaqueteros» muy dentro del momento histórico. La correspondencia explica observaciones como ésta, de Juan Emilio Aragonés:

Aunque no sea necesario para el cabal entendimiento de la trama de *Petra Regalada,* parece conveniente dejar bien sentado que el argumento de Gala se corresponde en todo y por todo con la transición sociopolítica por la que pasamos, tal y como la columbra el autor[4].

Sin embargo, *Petra Regalada* no se limita a un comentario sobre la transición de los años 70; es más bien una visión compleja de la historia e intrahistoria española, por lo menos desde el principio del siglo XVIII, época de construcción del convento. El autor dice en su antecrítica que su historia nunca pudo suceder en otra parte que España, pero seguramente la trama cobra más universalidad cuando uno se da cuenta de que Don Moncho representa no sólo a Franco, sino a todos los reyes represivos (los Hermanos Mayores) del pasado. Para darle a su personaje este valor arquetípico, Gala inventa el mito de la Hermandad de San Pedro Regalado, mito tan verosímil que algunos espectadores y aun los actores pensaban que se basaba en alguna historia real:

> Los actores siempre han creído que sucedió, siempre han creído que la Petra Regalada fue una institución que había en algún pueblo andaluz que he sacado a investigar[5].

Petra cuenta la historia a Mario, siendo ella misma parte de la leyenda como la puta oficial de la Hermandad. Camila, la ex-puta oficial y ahora «fraila» del convento-burdel, refuerza el plano mítico al contar las muertes milagreras que recuerda ella de otros Hermanos Mayores, remontando su memoria intrahistórica hasta la muerte de uno de ellos en Zaragoza en 1723. Tal muerte es tan inventada como la misma Hermandad de San Pedro Regalado, formando así parte integrante del proceso de mitificación[6].

---

[4] Aragonés, pág. 120.

[5] Entrevista personal, 31 de mayo de 1980. Le pregunté al dramaturgo sobre la originalidad de su leyenda porque había entre los espectadores, cuando vi la obra en Madrid, algunos que comentaron la posible base real de la historia.

[6] No murió ningún rey español en Zaragoza en 1723. Gala escogió la

En *Anillos para una dama* Gala partió de un mito ya conocido y se puso a desmitificar la Historia. La función del Cid como gran jefe militar y padre ejemplar queda establecida antes de que se inicie la acción dramática. El caso de Don Moncho es distinto. El personaje se presenta primero en un plano ya esperpéntico. La escena inicial es un juego en que Arévalo finge ser el cacique al besar a la vendada Petra. El engaño erótico pone en ridículo a los distintos personajes, a la vez que señala, por parte de las indirectas sarcásticas de Petra, un nivel más degradado que ella revelará más adelante. Yuxtapuesta a esta acción está la de la vieja Camila que, echando las cartas, predice un futuro esperanzado. Efectivamente, sus cartas anuncian la llegada de un caballero joven (Mario) que se lleva a la sota de espadas (Petra) a la grupa, una sota de espadas que «corta por lo sano». En el ambiente del convento-burdel, Don Moncho se revela como cacique decadente rodeado de compinches igualmente decadentes y dos mujeres-objetos que se burlan de esta «Santa Trinidad» y sueñan con un forastero-redentor.

Desde el principio, don Moncho se presenta ya parcialmente desmitificado. El mito mismo se desarrolla poco a poco: en las referencias a la Hermandad por Don Moncho, en la historia que Petra le cuenta a Mario, en los anuncios por altavoz cuando Don Moncho está muriéndose, en los recuerdos de Camila y en el dolor de la vieja ante la muerte del cacique. El prócer mítico, representante de la gran tradición del Hermano Mayor, contrasta siempre irónicamente con la visión inicial del cacique, igual que su pomposo nombre verdadero, pronunciado sólo después de su fallecimiento, don Ramón María López Agudín y López Martos, contrasta con el diminutivo «Moncho».

El proceso de desmitificación de Don Moncho y sus

---

ciudad por la dificultad fonética que les presenta a los andaluces y para burlarse indirectamente de la visita milagrera de la Virgen del Pilar a Zaragoza, «un disparate tan grande que no se puede pensar». (Entrevista personal, 31 de mayo de 1980.)

compinches llega a su punto más explosivo cuando Petra, preocupada por la suerte de Mario, decide que las complicidades se han acabado y que ella cantará las verdades. Éstas son tan tremendas que Don Moncho sufre un ataque cardiaco es decir, que la desmitificación, efectivamente, destruye el mito.

Al contar los secretos más íntimos de la Junta de la Hermandad, Petra completa la imagen de un mundo depravado y grotesco. Además, desenmascara a los que hipócritamente se declararon defensores de la ley y la moralidad. En el contexto de la transición sociopolítica, Gala está satirizando la moral oficial franquista con la creación de un jefe de Estado que es proxeneta y maricón, todo detrás de las murallas protectoras del sagrado convento-burdel[7]. Aunque a primera vista las revelaciones de Petra puedan interpretarse como un tradicional prejuicio contra los homosexuales, sus palabras indican lo contrario. Ella no identifica al macho con el heterosexual, sino con la vida; ataca a Don Moncho no por ser homosexual, sino por ser la muerte contagiosa, la cual resulta en gran parte de la hipocresía. Tadeo, tanto como el hombre ejecutado, es víctima de tal deseo de mantener el poder a través de una fachada falsa. Sus defectos físicos y mentales fueron causados no por el amor incestuoso en sí, sino por el abandono. Tadeo, Camila y Petra han sido reducidos a objetos por el poder maligno de la Hermandad. Mario llama a la junta «las fuerzas vivas» con intención irónica.

Si con la caracterización de Don Moncho hay un vaivén entre desmitificación y mitificación, con Mario la trayectoria está en un sentido único desde el mito hasta el des-

---

[7] Tanto la prostitución como el ejercicio de la homosexualidad fueron prohibidos por la Ley de Peligrosidad Social. Con la democracia, la ley fue reformada para que éste no pueda ser ya motivo de aplicación de una medida de seguridad, pero la prostitución sigue siendo ilegal. Carlota Bustelo teoriza que «algo tan absurdo fue explicado así: entre los diputados y senadores no hay ninguna prostituta, pero probablemente sí hay algún homosexual y probablemente alguno haya sido proxeneta». («La alternativa feminista», Conferencia pronunciada en el Club Siglo XXI, el 3 de mayo de 1979, Madrid, PSOE, 1979.)

enmascaramiento. Aun antes de su llegada, Mario está anunciado en las cartas como el caballero-redentor tan anhelado por las mujeres presas. Como figura mítica funciona simultáneamente en un plano de cuento de hadas para Camila y Petra, y en un plano político para los tres hombres, quienes tanto temen la llegada del forastero reformista. Se mitifica a sí mismo como figura bíblica al hablarle a Petra de la historia de Josué, las murallas de Jericó y la ramera Rajab[8]. Aunque critica a la Hermandad por pensar que Dios estaba con ellos, se presenta en los mismos términos, relacionando lo político con lo religioso, aunque indirectamente. Dada su tendencia de sermonear, no es sorprendente que Bernabé le llame «curita». El aparente cambio en su carácter, es decir, la desmitificación del redentor, no es menos esperado que su misma llegada. Antes de la muerte de Don Moncho, Mario le dice a Petra que el poder ha podrido a los que se creen superiores, que el único poder que no corrompe es el de los sacrificados —como la misma Petra. Es inevitable que el poder corrompa a Mario, haciéndole olvidar la importancia de Rajab en la batalla de Jericó y la promesa que los espías de Josué le hicieron.

Enrique Buendía, en su crítica negativa de *Petra Regalada,* señala la falta de desarrollo psicológico de los personajes, la falta de desarrollo dramático y «la débil estructura» de la obra[9]. Estos supuestos fallos no distan mucho de los identificados por Ruiz Ramón con respecto a *Noviembre y un poco de yerba* y, de nuevo, no son válidos. No se puede juzgar *Petra Regalada* según las normas del drama realista porque no lo es. La estructura subyacente a la acción dramática se basa en la tensión mito-desengaño y en la progresiva desmitificación de todos los elementos introducidos, menos el sentimiento de solida-

---

[8] Posiblemente hay una doble ironía en esta alusión bíblica; los habitantes de Jericó, con la excepción de la familia de Rajab, fueron víctimas de una verdadera matanza en nombre de la religión.

[9] Enrique Buendía, «*Petra Regalada,* el retorno de Gala», *Pipirijaina,* núm. 13 (marzo-abril de 1980), pág. 24.

ridad latente en el pueblo[10]. En el centro de esta acción dramática está Petra, hasta ahora el personaje más complejo en el teatro de Gala. Petra, así como la escenografía misma con su visualización de las capas míticas, encarna los extremos de las leyendas y las instituciones que se han creado para mantener el *statu quo*.

Como ha hecho notar la crítica feminista en los últimos años, entre los estereotipos femeninos más frecuentes en la literatura y la cultura occidentales se encuentran las malas y las buenas, es decir, las zorras y las vírgenes inmaculadas. El efecto de los dos extremos estereotipados es de quitarle a la mujer su humanidad, reduciéndola a un objeto sexual o a una pureza deshumanizada. En la obra de Gala, estos estereotipos se elevan al plano mítico de la Hermandad y, por consiguiente, se someten al proceso desmitificador. La Junta (el poder) encarcela a la mujer y la manipula, sea para su propio placer (la Petra-Puta), sea para controlar al pueblo (la Petra-Nuestra Señora de los Muertosdehambre). Los pobres dirigen sus súplicas a la mediadora invisible sin saber que tal Virgen no existe. Cuando sale la Petra de turno con su manto, como una Virgen andaluza en Semana Santa, es el mito supersticioso que logra el efecto milagrero. Por la fe ciega en el mito religioso, la Hermandad subyuga al pueblo igual que a las Petras. En este sentido, Mario acierta al decir que las murallas del convento-burdel encierran tanto a los de afuera como a las de adentro. Petra, en su doble papel mítico de mujer-objeto y mujer-santa, simboliza a la mujer privada de su humanidad y su libertad individual, a la vez que al pueblo-víctima.

Aunque Camila vacila en su actitud, incluso llorando la muerte del cacique y admitiendo que se había enamorado de él —actitud ambivalente frecuente en un pueblo subyugado[11]—, desde el principio de la obra se muestra

[10] En una entrevista con Julia Sáez, Gala relaciona este sentimiento de solidaridad en *Petra Regalada* con *Los verdes campos del Edén* y *El sol en el hormiguero*. («Antonio Gala y la interpretación de la historia de España», *El Adelante,* Salamanca, 6 de abril de 1980, sin pág.)
[11] En la extensa literatura hispánica del dictador, se suele señalar la

más bien subversiva. Le dice a Petra que debía haberse ido en su momento, idea que se le había ocurrido también a Petra, pero que le parecía imposible. Así se había ajustado a su vida encerrada al refugiarse en la ilusión y la diversión. Gala repite su sátira de la época franquista y la sociedad de consumo, encontrada antes en *Los buenos días perdidos,* cuando Bernabé le pregunta en la primera escena si piensa comprarse «el olvido por fascículos, o a plazos, como si fuera un electrodoméstico». Por cierto, no podría escaparse a través de la lectura ni de fascículos ni de nada porque le prohibieron las novelas y hasta los periódicos. (La crítica de la censura queda clara.) Las diversiones de Petra son más bien las cartas de Camila, las flores de su jardín, la radio, las bebidas alcohólicas y, sobre todo, el caleidoscopio, símbolo de la ilusión. Es significativo que Don Moncho se refiera al juguete favorito de Petra como «catalejo» (objeto que le permitiría ver la realidad lejana) en lugar de «caleidoscopio» (objeto limitado a un vaivén de colores, es decir, la fantasía). El intercambio de términos refuerza la mentira de Don Moncho de que a Petra no le ha faltado nada. Cuando Tadeo rompe el caleidoscopio, Petra se pone triste por la pérdida de su ilusión, pero el episodio también apunta al desenlace con el triunfo del pueblo y la realidad sobre todos los mitos subyugadores.

Descontenta de su doble papel mítico impuesto por la Hermandad (los que han mandado siempre), Petra también se refugia en otro mito: el de la joven que se casa y vive siempre feliz. A los quince años en la Inclusa, soñó con el amor y se bordó una colcha para su ajuar. Con la llegada de Mario, vuelve a soñar. Piensa dejar su identidad de Petra Regalada y volver a su verdadero nombre, Dolores. Es un nombre que Gala ha escogido con toda intención; para él, es un nombre atroz: «Nadie quie-

---

dependencia y hasta el afecto que despierta éste en el pueblo. Quizá el desarrollo más completo y obvio de tal caracterización se encuentra en la novela *Parábola del náufrago* (1969), de Miguel Delibes, con su don Abdón, «el padre más madre de todos los padres».

re llamarse Dolores» [12]. Por su connotación religiosa (la Virgen de los Dolores) y su doble sentido como palabra (penas), el nombre Dolores deja a Petra en un plano mítico lo mismo que antes, además de señalar el desenlace patético de su amorío. Al contrario de obras anteriores donde recalcó el valor positivo del amor, aquí Gala lo pone bajo una luz negativa:

> Petra pura, redentora, cándida, comete la estupidez de creer en el amor. El amor es siempre una catástrofe [13].

Sin embargo, de manera indirecta el amor tiene una fuerza redentora. Como la Reina en *El sol en el hormiguero,* es a través del amor como Petra se despierta a la realidad política y la posibilidad de establecer un nuevo orden realmente demócrata. La causa del asesinato del amado es distinto, pero el resultado es igual. La mujer rebelde será la que lleva al pueblo a la nueva vida. La fuerza redentora no está en las figuras míticas, sino en el pueblo mismo.

Petra es el personaje central de la obra. En su caracterización no hay desarrollo psicológico, por supuesto, pero sí hay un desarrollo en términos del proceso de desmitificación. En la tradición de la Petra Regalada, la mujer-objeto es siempre huérfana. Su vida tiene varias etapas bien definidas: niñez y adolescencia en la Inclusa, donde recibe la tradicional educación católica; la juventud en el burdel como puta; la madurez en el burdel como criada; la vejez en el asilo. Es el destino de la Petra (y, con los debidos cambios, el destino de cualquier mujer del pueblo o del pueblo en general). Según don Moncho, Petra debe estar agradecida. Al contrario, ella se muestra dis-

---

[12] Entrevista personal, 31 de mayo de 1960.

[13] Entrevista con Lola Aguado, *Hoja del Lunes,* Madrid, 17 de marzo de 1980, pág. 36. En esta misma entrevista, Gala declara que Petra Regalada es un nombre auténtico, que ha usado como homenaje a un amigo muerto cuya madre, granadina, se llamaba Dolores Petra Regalada.

conforme ya en la primera escena. Se burla de su educación católica y se rebela contra su presente y su futuro inevitable. Como Consuelo en *Los buenos días perdidos,* considera vacía su existencia; dice que tiene el defecto de haber nacido muerta. Si no se muestra igualmente disconforme con su papel de Petra-Virgen es posible que se deba a que ve en éste algún poder; sin embargo, renunciará a él para salvar a Mario, porque considera el amor más importante aún. Cuando descubre la traición de Mario (la va a reemplazar con una nueva Petra adolescente), rechaza el mito del amor tanto como las murallas del convento-burdel para salir a la realidad y la vida. Si antes le parecía que ella, Camila y Tadeo eran demasiado débiles para luchar contra la represión y «la muerte contagiosa», ahora, cuando Tadeo ha matado a Mario para proteger a su querida Petra, sabe que unidos son una fuerza más vital que los que querían oprimirlos.

En su estructura, *Petra Regalada* refleja la cuidadosa construcción típica del teatro de Gala. Dentro y debajo del texto, siempre brillante, hay un patrón de anticipación para toda la acción externa desde la llegada de Mario y las revelaciones de Petra hasta la traición de Mario y su muerte. En su forma difiere de las otras obras de tema contemporáneo sólo en el uso de un tiempo telescopado en los diálogos entre Petra y Mario, el cual resulta en una interesante simultaneidad de acción de éstos y escenas entre Petra y la Junta. Sobre todo, como López Sancho ya ha notado, la comedia con que Gala volvió a las tablas, después de una ausencia de cinco años, se destaca, como su teatro en general, por su fuerza verbal:

> Lo mejor de *Petra Regalada* es su lenguaje, su construcción como un todo verbal en el que la metáfora, la expresión popular, el vocablo culto y el vulgar, incluso regional, se funden y recaman en preciosa cohetería lingüística[14].

---

[14] López Sancho, *loc. cit.*

Es una comedia que puede divertir al público con la brillantez del lenguaje, con los igualmente brillantes efectos visuales requeridos por la escenografía, y con las alusiones a la transición sociopolítica, pero también es una obra de varias lecturas, llena de sugerencias sobre la Historia de España.

# Nuestra edición

Existen dos ediciones anteriores de *Noviembre y un poco de yerba: Primer Acto,* núm. 94, 1968, y la antología *Antonio Gala,* ed. José Monleón, Taurus, 1970. La nuestra se basa en la edición de *Primer Acto;* las doce variantes van consignadas a pie de página en las notas que llevan las letras «e» o «v». La letra «e» indica que cierta palabra o frase ha sido eliminada en la edición de Taurus *(T);* la nota a pie de página aclara lo que ha sido suprimido. Otras variantes en *T* van indicadas por la letra «v».

Hay dos ediciones anteriores de *Petra Regalada:* Ediciones MK, 1980, y Editorial Vox, 1980; hemos escogido la primera. Con la excepción de errores tipográficos y diferencias ortográficas sin importancia, todas las variantes van consignadas a pie de página. La letra «a», puesta sobre la palabra que precede a la expresión nueva, indica que aparecen en la edición Vox *(V)* palabras o frases añadidas. La letra «e» indica que cierta palabra o frase ha sido eliminada en *V;* la nota a pie de página aclara lo que ha sido suprimido. Otras variantes van indicadas por la letra «v».

En *Noviembre y un poco de yerba* el dramaturgo intercala numerosas canciones tradicionales. Todas tienen un sabor popular y de una manera directa o indirecta están relacionadas con la temática de la obra: el amor, la muerte o los efectos de la guerra. En las notas aparecen aclaraciones del sentido y el origen de las canciones que hemos podido encontrar en los varios libros de consulta citados en las notas.

# Bibliografía

## Obra publicada de Antonio Gala

I. TEATRO

a) *Antonio Gala. Teatro (1963-1980),* Madrid, Aguilar, 1981. En prensa.

b) Las siguientes obras se incluyen en *Antonio Gala,* ed. José Monleón, Madrid, Taurus, Colección El Mirlo Blanco, núm. 13, 1970.
*El caracol en el espejo. El sol en el hormiguero. Noviembre y un poco de yerba.*

c) Publicadas por Espasa-Calpe en Madrid:
*Los verdes campos del Edén. Los buenos días perdidos,* Colección Austral, núm. 1.588, 1975.
*Las cítaras colgadas de los árboles. ¿Por qué corres, Ulises?* Selecciones Austral, 1977.

d) En la antología anual editada por Federico Carlos Sáinz de Robles y publicada por Aguilar en Madrid:
*Los verdes campos del Edén. Teatro español, 1963-1964. Los buenos días perdidos. Teatro español, 1972-1973. Anillos para una dama. Teatro español, 1973-1974.*

e) En la revista *Primer Acto:*
*Los verdes campos del Edén,* núm. 51 (1964), páginas 31-53.
*Noviembre y un poco de yerba,* núm. 94 (1968), páginas 19-45.

*Los buenos días perdidos,* núm. 150 (1972), páginas 31-57.

*f)* En la Colección Teatro de Escelicer en Madrid:
*Los verdes campos del Edén,* núm. 418, 1964; 2.ª edición, 1970.
*Los buenos días perdidos,* núm. 743, 1973.

*g)* Otras ediciones:
*Los buenos días perdidos,* en *Años difíciles: 3 testimonios del teatro español contemporáneo,* ed. Ricardo Salvat, Barcelona, Bruguera, 1977. En *Las cartas boca abajo* y *Los buenos días perdidos,* edición Álvaro Custodio y Ángeles Cardona de Gibert, Tarragona, Ediciones Tarraco, Colección Arbolí, 1976.
*Anillos para una dama,* Madrid, Júcar, 1974.
*¿Por qué corres, Ulises?, Tiempo de Historia,* Año II, núm. 15 (1976), págs. 70-101.
*Petra Regalada,* Madrid, Ediciones MK, Colección Escena, núm. 18, 1980. Madrid, Editorial Vox, Colección La Farsa, núm. 9, 1980.

*h)* Traducción publicada:
*Los verdes campos del Edén.* Al portugués. Petrópolis, Brasil, Editorial Vozes, 1965.


II. GUIONES DE TELEVISIÓN

*Píldora nupcial. Corazones y diamantes. El «Weekend» de Andrómaca. Vieja se muere la alegría,* Madrid, Escelicer, Colección Teatro, núm. 595, 1968.
*Cantar del Santiago paratodos,* Madrid, Ediciones MK, Colección Escena, núm. 5, 1974.
*4 conmemoraciones: Eterno Tuy. Auto del Santo Reino. Oratorio de Fuenterrabía. Retablo de Santa Teresa,* Madrid, Ediciones Adra, 1976.
*Juan Martín, «El Empecinado», Tiempo de Historia,* Año III, núm. 26 (1977), págs. 24-33.


III. PERIODISMO

*a)* Ha escrito las siguientes series de artículos periodísticos:

*En torno a las bebidas nacionales, Arriba*, 1959-60.
*Colaboraciones en la Tercera Página, Pueblo*, 1966-1967.
*Texto y pretexto, Sábado Gráfico*, febrero de 1973 - julio de 1978.
*Verbo transitivo, Repórter*, 24 de mayo - 30 de agosto de 1977.
*El color de las horas, Primera Plana*, 14 de septiembre de 1977 - 3 de enero de 1978.
*Citas históricas, La Actualidad Española*, 21 de enero - 26 de marzo de 1978.
*Verbo transitivo, El País* (Suplemento dominical), 1 de octubre de 1978 - 13 de mayo de 1979.
*Charlas con Troylo, El País* (Suplemento dominical), 15 de julio de 1979 - 16 de noviembre de 1980.

*b)* *Texto y pretexto*, Madrid, Sábado Gráfico, 1976. Madrid, Sedmay, 1977. Selección de artículos publicados a partir de febrero de 1973.
*Charlas con Troylo*, Madrid, Espasa-Calpe, 1981. Prólogo de Andrés Amorós. Incluye todos los artículos de la serie publicados entre el 22 de julio de 1979 y el 16 de noviembre de 1980.

IV. Poesía

*Enemigo íntimo*, Madrid, Ediciones Rialp, Colección Adonais, 1960.
«La deshora», *Cuadernos Hispanoamericanos*, núm. 148 (1962).
«Meditación en Queronea», *Cuadernos Hispanoamericanos*, núm. 183 (1965), págs. 504-513.

V. Conferencias

«Apuntes sobre la problemática del teatro español» (ponencia para el I Congreso de Escritores, San Sebastián, septiembre de 1968), en *Antonio Gala*, ed. José Monleón, Madrid, Taurus, 1970.
*El teatro de Lorca*, Salamanca, Publicaciones de los cursos de verano de la Universidad, 1972.

*Teatro español actual,* Madrid, Fundación Juan March y Cátedra, 1977, págs. 109-118.

«El teatro que viene» (discurso para una sesión especial de un congreso internacional de hispanistas en Madrid, agosto de 1977), en *Estreno,* IV, núm. 1 (primavera de 1978), págs. 4-5.

*Teatro de hoy, teatro de mañana,* Almería, Ateneo de Almería, 1978.

«Prólogo» a *Un Congreso de Cultura Andaluza,* Córdoba, Unión Editora Andaluza, 1978.

## VI. RELATOS

*Solsticio de invierno, Cuadernos Hispanoamericanos,* núm. 159 (1963), págs. 400-412.

*La Compañía, Cuadernos Hispanoamericanos,* número 170 (1964), págs. 238-244.

## VII. MISCELÁNEA

Paul Claudel, *El zapato de raso,* Madrid, Escelicer, 1965. Versión de Antonio Gala.

*Córdoba para vivir,* Publicaciones Españolas, 1965. Ensayo.

*Barrera-Wolff/exposición,* Madrid, 1976. Apuntes sobre una pintura por Antonio Gala.

«Un apunte sobre Vicente Vela», en *Vicente Vela,* Madrid, Ediciones Rayuela, 1975.

«Presentación del libro *Memoria del flamenco,* de Félix Grande», *Nueva Estafeta,* 8 (1979), págs. 49-51.

Con J. M. Caballero Bonald, «Dos comentarios en torno a *Diario de una resurrección»*, *Nueva Estafeta,* 9-10 (1979), págs. 111-114.

«Respuesta a José Monleón», *Primer Acto,* núm. 184 (1980), págs. 92-93.

## VIII. GUIONES DE CINE

Multicopias de los siguientes guiones se encuentran en la colección de teatro de la Biblioteca Nacional en Madrid:

*Digan lo que digan.* Guión de Antonio Gala, Miguel Rubio y Mario Camús. Dirección: Mario Camús, S. G. Producciones, 1968.

*Esa mujer.* Guión de Antonio Gala. Dirección: Mario Camús, Madrid, 1968.

*Pepa Doncel* (sobre Benavente). Guión de Antonio Gala y Luis Lucia, Madrid, Noviola Films, 1969.

*Los buenos días perdidos.* Guión de Antonio Gala y Miguel Rubio, Madrid, 1975.

## Obras teatrales inéditas

I. Estrenadas:

*a)* Café-teatro.
   *Spain's Strip-Tease,* Madrid, King-Boite Teatro, 1970.

*b)* Adaptaciones teatrales:
   Edward Albee, *Un delicado equilibrio,* Madrid, Teatro Español, 1969.
   Sean O'Casey, *Canta, gallo acorralado,* Madrid, Teatro de la Comedia, 1973.

II. Sin estrenar:

*La Petenera* (música de Antón García Abril).
*La Cenicienta no llegará a reinar.*
*Carmen Carmen* (música de Antón García Abril).

## Crítica

ÁLVARO, Francisco, *El espectador y la crítica,* Valladolid, Edición del autor, 1959-70, 1978; Madrid, Prensa Española, 1971-77. *Anuario teatral:* Reseñas de las obras originales aparecen en los tomos VI, IX, X, XV, XVI, XVII, XVIII.
ANDERSON, Farris, «From Protest to Resignation», *Estreno,* II número 2 (otoño de 1976), págs. 29-32.

ARAGONÉS, Juan Emilio, «*Petra Regalada* o el barroquismo teatral», *Nueva Estafeta,* núm. 16 (1980), págs. 119-121.
— *Teatro español de posguerra,* Col. Temas Españoles, número 520, Madrid, Publicaciones Españolas, 1971, páginas 77-80.

BUENDÍA, Enrique, «*Petra Regalada:* El retorno de Gala», *Pipirijaina,* 13 (marzo-abril de 1980), págs. 24-25.

CAZORLA, Hazel, «Antonio Gala y la desmitificación de España: Los valores alegóricos de *Anillos para una dama*», *Estreno,* 4, núm. 2 (1978), págs. 13-15.

CAÑIZAL DE LA FUENTE, Luis, «Antonio Gala trasplanta una situación de *La regenta*», *Ínsula,* núm. 406 (septiembre de 1980), págs. 3 y 14.

DÍAZ PADILLA, Fausto, «El teatro de Antonio Gala», resumen de la tesis doctoral, Universidad de Oviedo, 1975.

DOMÉNECH, Ricardo, Reseña de *El sol en el hormiguero, Primer Acto,* núm. 73 (1966), págs. 47-48.
— Reseña de *Los verdes campos del Edén, Primer Acto,* número 49 (1964), págs. 52-54.

FERNÁNDEZ SANTOS, Ángel, «*Anillos para una dama,* de Antonio Gala», *Ínsula,* núm. 325 (diciembre de 1973), pág. 15. (Este estudio sirve de introducción a *Anillos para una dama,* Madrid, Júcar, 1974.)

HERRERO, Fernando, «*Anillos para una dama,* de Antonio Gala», *Primer Acto,* núm. 162 (noviembre de 1973), páginas 67-71.

HOLT, Marion P., *The Contemporary Spanish Theater (1949-1972),* Boston, Twayne, 1975, págs. 153-156.

INFANTE, José, «Antonio Gala», *Gran enciclopedia de Andalucía,* fascículos 67 y 68, Sevilla, julio y agosto de 1980.

KIRSNER, David M., «The Function of Children in Three Representative Plays by Antonio Gala», Actas del simposio «El niño en las literaturas hispánicas», 20-21 de octubre de 1978, Indiana University of Pennsylvania, EE.UU., páginas 237-247.
— «The Theater and Politics of Antonio Gala», Actas del simposio «Hispanic Literature and Politics», 8-9 de octubre de 1976, Indiana University of Pensylvania, EE.UU., páginas 241-250.

LADRA, David, «Tres obras y una utopía: En torno a la generación realista», *Primer Acto,* núm. 100 (1968), págs. 36-50.

LÁZARO CARRETER, Fernando, «Petra Regalada» y «Petra Regalada (II)», *Gaceta Ilustrada*, 16 de marzo de 1980, pág. 73, y 23 de marzo de 1980, pág. 65.

LÓPEZ SANCHO, Lorenzo, «*Petra Regalada*, alegoría barroca de Gala», edición semanal aérea de *ABC*, 28 de febrero de 1980, pág. 29.

LLOVET, Enrique, «Prólogo», en Antonio Gala, *Las cítaras colgadas de los árboles. ¿Por qué corres, Ulises?*, Madrid, Espasa-Calpe, 1977.

MOLERO MANGLANO, Luis, *Teatro español contemporáneo*, Madrid, Editora Nacional, 1974, págs. 367-379.

MONLEÓN, José, Ed. *Antonio Gala*, Madrid, Taurus, El Mirlo Blanco, núm. 13, 1970. Incluye los siguientes juicios críticos: Casona, Alejandro, «Carta abierta a Antonio Gala con ocasión de las cien representaciones de *Los verdes campos del Edén*», págs. 41-43; Monleón, «Gala: poesía y compromisos», págs. 9-40; Rodríguez Méndez, José María, «Antonio Gala y su realismo irónico», págs. 44-47.

— «España, España... o las desdichas de *Petra Regalada*», *Triunfo*, 23 de febrero de 1980, pág. 43.

— Reseña de *Noviembre y un poco de hierba* (sic), *Primer Acto*, núm. 93 (1968), págs. 70-71.

— «El último Gala», reseña de *¿Por qué corres, Ulises?*, *Triunfo*, 31 de enero de 1976, págs. 55-56.

— «La vuelta de Antonio Gala», *Primer Acto*, núm. 150 (noviembre de 1972), págs. 29-30.

NICHOLSON, Gus, «Negativism in the Works of Antonio Gala», tesis doctoral Universidad de Oklahoma, EE.UU., 1978. *Dissertation Abstracts International* 39: 6162A-63A.

PADILLA MANGAS, Ana María, «Tipología en la obra dramática de Antonio Gala (Estudio de cuatro personajes: Camacha, Constanza, Eurimedusa y Eurimena)», tesis de licenciatura, Universidad de Sevilla, 1977.

«PRIMER ACTO», «Varias cuestiones serias a propósito de la obra de Antonio Gala», *Primer Acto*, núm. 94 (marzo de 1968), páginas 11-13.

RODRÍGUEZ MÉNDEZ, José María, «La revisión de la guerra», reseña de *Noviembre y un poco de yerba*, *Noticiero Universal*, 30 de enero de 1968. Transcrita en *Primer Acto*, núm. 94 (marzo de 1968), págs. 16-18.

RUIZ RAMÓN, Francisco, *Historia del teatro español. Siglo XX*, 3.ª ed., Madrid, Ediciones Cátedra, 1977, págs. 516-524.

SALVAT, Ricardo, «Prólogo», *Años difíciles: 3 testimonios del teatro español contemporáneo*, Barcelona, Bruguera, 1977.

107

SEGURO, Florencio, «La España de Antonio Gala: *Petra Regalada*», *Razón y Fe,* núm. 986 (1980), págs. 317-321.

ZATLIN BORING, Phyllis, «The Theater of Antonio Gala: In Search of Paradise», *Kentucky Romance Quarterly,* 24 (1977), págs. 175-183.

## Selección de entrevistas

AGUADO, Lola, «Antonio Gala», *Hoja del Lunes,* 17 de marzo de 1980, pág. 36.

CARASA, Juan, «La muerte de Antonio Gala: Historia de una noticia que no sucedió», *Sábado Gráfico,* 2 al 8 de junio de 1976, págs. 18-19.

CRESCIONI NEGGERS, Gladys, «Antonio Gala: Dramaturgo poeta», *La Estafeta Literaria,* núm. 586 (1976), págs. 8-10.

DOMÉNECH, Ricardo, «Antonio Gala, premio "Calderón de la Barca" 1963», *Primer Acto,* núm. 46 (1963), págs. 50-51.

FAUSTO, Gonzalo, «El "destape" de Gala: A España la veo muy mal y no soy pesimista», *Informaciones,* 23 de mayo de 1976, pág. 16.

FERRADA, Nora, «Érase una vez un niño... llamado Antonio Gala», *Míster,* 12 de julio de 1974, págs. 8-10.

HERAS, Santiago de las, «Entrevista con Antonio Gala», *Primer Acto,* núm. 94 (marzo de 1968), págs. 14-18.

HUERTAS, Eduardo, «Antonio Gala, el intento autónomo de la realización humana», *Ya,* 22 de abril de 1973. Transcrita como prólogo a *Cantar del Santiago paratodos,* Madrid, Ediciones MK, 1974.

KIRSNER, David M., Entrevista recogida en magnetófono, 11 de enero de 1977. Inédita.

MESEGUER, Manuel María, «Marsillach, Massiel, Gala hablan de una comedia prohibida», *ABC Reportaje,* 14 de septiembre de 1973.

MONLEÓN, José, ed. *Antonio Gala,* Madrid, Taurus, El Mirlo Blanco, núm. 13, 1970. Transcribe las siguientes entrevistas: Cortés-Cavanillas, Julián, «Antonio Gala, el benjamín de los comediógrafos», *ABC,* págs. 64-71; Heras, Santiago de las, «Entrevista con Antonio Gala», *Primer Acto,* páginas 78-83; Núñez Antonio, «Encuentro con Antonio Gala», *Ínsula,* págs. 72-77.

— «A. Gala, J. L. Alonso y J. Monleón en torno a *Los buenos días* perdidos», *Primer Acto,* núm. 150 (noviembre de 1972), páginas 20-28.

O'CONNOR, Patricia W., y PASQUARIELLO, Anthony M., «Conversaciones con la Generación Realista», *Estreno,* II, núm. 2 (otoño de 1976), págs. 27-28.

SÁEZ, Julia, «Antonio Gala y la interpretación de la historia de España», *El Adelanto,* Salamanca, 6 de abril de 1980, sin página.

ZATLIN BORING, Phyllis, «Encuesta sobre el teatro madrileño de los años 70», *Estreno,* VI, núm. 1 (primavera de 1980), páginas 13-14.

# Noviembre y un poco de yerba
## *(Historia dramática en dos partes)*

## PERSONAJES:

PAULA             LA MADRE
TOMÁS             DIEGO


## ESCENARIO

*Está dividido transversalmente. La parte superior es una desvencijada cantina en un apeadero de ferrocarril. Una puerta, una ventana. Alguna vieja estantería, prácticamente vacía. Un mostradorcillo. Un par de sillas de anea.*

*La parte inferior no tiene otra comunicación con el exterior que una trampilla que se abre hacia arriba. Debe producir una sensación asfixiante de local enterrado. Una mesa, unos cajones, una cocinilla, unos cacharros. En el ángulo del fondo derecha, una cortina oculta a medias una yacija, donde duerme o se retira la* MADRE. *A la izquierda, otra cortina desgarrada o un pobre biombo separa la cama de* DIEGO *y* PAULA.

*La trampilla lleva adherida una débil escalera, arreglada mil veces, que permite subir por ella cuando se abre.*

## PRIMERA PARTE

PAULA. *(Entra arriba y deja sobre el mostrador la gran bolsa que trae en la mano.)* Ay, qué sofocación. Ay, qué sofocación. Ay, qué sofocación.

TOMÁS. *(Sentado, doblando el periódico que leía.)* Te he estado esperando desde las seis en punto.

PAULA. Haberte ido, que nadie te lo mandó. ¡Ni que yo fuera una cosaria! Vengo como una burra y encima con prisas... *(Sacando algunas cosas de la bolsa.)* Tu coñá. Y tu esparadrapo, que en la boca te lo debías pegar. Once duros. (TOMÁS *va a coger la botella y el envoltorio.)* ¡Once duros! Y eso sin portes. ¡Qué solanera! (TOMÁS *le da el dinero.)* Señor, qué bravo se nos va a poner abril...

TOMÁS. Este coñá...

PAULA. ¿Qué le pasa a este coñá? No había de otro. Haber ido tú.

TOMÁS. ¿Y quién le echaba las barreras al rápido?

PAULA. ¡Aj!, con las barreras. Te crees que eres el ombligo del mundo... Como si algún tren necesitase para pasar que tú le echaras las barreras. *(Coloca algo en una estantería.)*

TOMÁS. Y los automovilistas, ¿qué?

PAULA. ¿Tú has visto pasar en tu vida algún coche por estos caminos de cabras? Anda, cállate y vete.

VOZ DE LA MADRE. *(Oculta detrás de la cortina, abajo.)* ¡Dionisio!

TOMÁS. Toda la tarde ha estado así.

113

PAULA. Pues bien entretenida que la dejé con su caja de cintas. *(Hacia abajo.)* ¡Ya voy, madre!

TOMÁS. ¿A quién llama?

PAULA. A mí.

TOMÁS. ¿Y por qué te llama Dionisio?

PAULA. Porque le da la gana. Para eso es mi madre. *(Sigue limpiando algo.)*

TOMÁS. ¡Paula! *(Pausa.)* ¡Paula!

PAULA. *(Se vuelve, casi asustando a Tomás.)* Harta estoy. Me vais a gastar el nombre, además de la vida. Todo el día lo mismo: azacaneando. Paula, Paula... ¿Queeeé?

TOMÁS. Dame una copita para el coñá, mujer.

PAULA. Una M como el sombrero de un picador: eso es lo que te voy a dar. Hasta más arriba del moño me tenéis entre todos. Los de aquí y los de abajo. Mañana y noche, como una pava, del caño al coro: sirviendo a uno, consolando a otro... *(Da un grito.)*

TOMÁS. Anda, que cuando te disparas...

PAULA. Ya os daría yo a todos buen disparo, guerreros. Que sois todos iguales: los maridos, los padres, los hijos y los guardabarreras.

TOMÁS. ¡Qué sabrás tú de hombres!

PAULA. Si tú fueras el único, antes muerta. Con ese bote de pimiento morrón encima de la calva...

TOMÁS. ¡Qué falta de respeto al uniforme!

PAULA. ¡Huy!, al uniforme. Como si a mí me da por vestirme de buzo. ¿Es que tú eres jefe de estación ni muchísimo menos? ¿Es que esto es una estación? Un guardabarreras, hijo, un papandujo. ¡Pero qué manías de grandeza! Y cuanto más viejo, más pellejo. Tú vas de negro porque te sale del níspero[1]. A mí me la vas a dar... Eso a los tordos, a las lagartijas, que es lo que hay por aquí... ¡Uniforme!

TOMÁS. En la guerra me hice a él, ¿qué quieres? No me peta andar de paisano. Se está más seguro así,

----

[1] *Te sale del níspero:* eufemismo de un vulgarismo coloquial. Significa aquí «porque te da la gana».

menos solo. Uno se mira al espejo y se dice: «Con esta misma piel hay muchos más», y se descansa. Como yo fui sargento en otros tiempos...

PAULA.  Conque sargento, ¿eh? ¿Cuándo te han[v] ascendido? Enséñame el nombramiento, hombre. Porque hasta ayer decías que eras cabo. Y cuando llegaste hace veintiséis años eras un soldado más raso que una noche de agosto. Lo que la gente inventa, madre...

TOMÁS.  Bueno, ¿y qué? ¿Molesto yo a alguien?

PAULA.  Por mí, como si quieres llegar a general, ya ves tú... Que llegarás.

TOMÁS.  Y si no era sargento, ¿de dónde saqué yo estos galones?

PAULA.  Eso sí que no, Tomás, ¿eh? Tú presume, pero no me tomes por moscatela. Que esos galones te los traje yo del pueblo. Y el traje negro se lo compraste a Concha, la del concejal que murió en acto de servicio. Según dijo ella, claro. Todo el mundo sabe que se desnucó porque le dio un vahído cuando estaba cogiendo ciruelas. En mi vida he visto un pueblo con más víctimas de la guerra. Como la hermana de la Gertrudis: que la mataron los rojos, dice. Sí, los rojos... Y se murió de un aborto, la sinvergüenza...

TOMÁS.  Pero el que la embarazó era rojo.

PAULA.  A saber. ¡Hubo en eso tanta competencia! El mejor día me va a dar a mí por decir que soy un «caballero mutilado».

TOMÁS.  Más miramiento es lo que te debería dar.

PAULA.  ¿A qué? ¿A la guerra? Ella se lo llevó todo. ¡La guerra! ¡Turmix, salamanquesa![2]. *(Mirando alrededor.)* Con lo que esto era... ¡Qué estación, Señor, qué preciosidad! Con sus tiestos, sus paredes bien enjalbegadas, su yerbabuena. Y un entrar y salir... Y un personal tan fino: «Por favor, un café; por favor, un

---

[v] has.
[2] *¡Turmix, salamanquesa!:* las dos palabras se usan aquí como insultos. Turmix es la marca de una batidora. Salamanquesa es una especie de lagartija.

mostachón de aquéllos; por favor, esta pieza, esta pieza y esa pieza». Y los estantes repletos de género... ¡Qué alegría, Señor! Tenía yo dieciocho años. Sin cumplir. Dieciocho maravillas, que se dice muy pronto. Y una mata de albahaca en semejante sitio. *(Se toca la cabeza.)* Me ponía en el andén y paraba los expresos que no tenían que parar. *(Se ha sentado.)* Ahí detrás plantamos mi madre y yo la huerta. Con la fresca, en verano —día sí, día no— nos hacíamos cada piriñaca...[3]. No he vuelto yo a probar ninguna piriñaca con más pimiento, con más tomate, con más pepino, con más aceite, con más vinagre, con más de todo. *(Se levanta.)* Y de repente, el bombardeo[4]. No se quedó de pie ni una lechuga. Me acuerdo que había ido al río con la ropa y me dio por lavarme la cabeza. Hice espuma en un cubo y la movía y la movía. Me puse a cantar y a mover la espuma. La primera bomba a poco me cae dentro del cubo. ¡Qué puntería, Señor! Al principio creí que era una locomotora. «Qué raro —me dije—; qué pronto pasa hoy el rápido: viene casi a su hora.» Sí, sí... el rápido. Cuarenta y tantas bombas. Menuda piriñaca. Y yo, venga correr, con el jabón dentro de los ojos, que me estuvieron escociendo cerca de un mes. Cuando los pude abrir, nada: no había quedado nada. Desde la loma vi mi casa: era un montón de escombros, un poco de humo y una loca sentada encima.

VOZ DE LA MADRE.    ¡Dionisio!

PAULA.    Ahí la tienes: como una chota. A fuerza de bombazos, loca perdida. No ha vuelto en sí ya más. La guerra... Y cuando se acabó hicieron otra estación al lado del pueblo: lo natural. Me ofrecieron la cantina,

---

3 *Piriñaca:* «Ensaladilla de pimientos, tomates y cebollas, aliñada con aceite, vinagre y sal.» Antonio Alcalá Venceslada, *Vocabulario andaluz,* Madrid, Real Academia Española, 1951, pág. 490.

4 Según Fausto Díaz Padilla en su tesis doctoral, este episodio del bombardeo se basa en el primer recuerdo de la vida de Gala. Tenía dos años; se encontraba en la azotea de su casa haciendo pompas de jabón en un cubo cuando bombardearon la ciudad de Córdoba durante la Guerra Civil.

sí, señor, pero esto era lo mío: mi polvo, mis escombros, los hierros de mi cama hechos un churro... Me quedé de guardabarreras hasta que tú viniste con tu enchufe y tu pasión por los gorros coloraos. Por eso te digo que a mí la guerra... Gente del pueblo, todas las tardes. Y don Rufino, el párroco, que daba su paseíto con un libro sin abrrir en el sobaco, se tomaba su vino de balde y se volvía. Y los bailes debajo del emparrado en cuanto llegaba marzo. Y las mujeres, a que mi madre les echase las cartas[5]. Era mucha vida aquélla... Ya ves tú ahora qué cartas...

TOMÁS.   Yo te traía una. *(Se la da.)*

PAULA.   ¿De quién?

TOMÁS.   Luego la lees.

PAULA.   Ya. Tararí que te vi. *(Va en busca de una copa.)*

TOMÁS.   *(Volviendo al tema.)* La guerra es cosa de hombres, ya se sabe.

PAULA.   La guerra es cosa de animales. Hablando se entiende la gente, no pegando bombazos sin ton ni son[6].

TOMÁS.   Pero, aquí, ¿quién bombardeó? ¿Nosotros o los otros?

PAULA.   Unos que pasaban volando, ¡yo qué sé! Yo me estaba lavando la cabeza. Y cantando. Lo único que yo sé es que las tomateras eran mías. Y que la estación era de todo el mundo. Y que ardieron los trigos. ¿Quieres decirme tú quién es nadie para poner fuego a los trigos? *(Poniéndola encima de la mesa de golpe.)* Tu copa.

TOMÁS.   Ponte tú otra.

PAULA.   ¿De verdad? *(Va por ella.)* Falta me hace, que una no tiene ya cuarenta años.

TOMÁS.   Veinte representas tener.

PAULA.   Y los tengo, pero repetidos.

---

[5] La echadora de cartas aparece también en otras obras de Gala. Véase *Petra Regalada.*

[6] La actitud pacifista aquí de Paula anticipa la de Jimena en *Anillos para una dama.*

117

TOMÁS.   Como cuando te conocí: más derecha que un
huso, que daba gloria verte. Cuántas mozas quisieran
tener esa carne tan prieta.

PAULA.   Anda, oliscón[7], aparta. Mozas, no sé. Pero un
guardabarreras sí sé yo que quisiera tener esta carne.
*(Tomás suspira.)* ¡Más vale que respetaras la memoria
de tu Carmen, pato viudo. No hace ni un año que
arrugó el hocico y ya estás, como un perro, detrás de
las faldas. Todos los hombres son unos lujuriosos
mientras no se demuestre lo contrario. Y los cojos,
aunque se demuestre.

TOMÁS.   Otra copita, mala lengua, que hoy se cumplen
veinte años. *(Sirve.)*

PAULA.   ¿De qué?

TOMÁS.   De mi cojera.

PAULA.   *(Con otro tono.)* ¡Ay!, Tomás, es verdad. Siempre se me olvida. *(Brinda.)* Que sea por muchos años,
hombre.

TOMÁS.   Y que lo veamos con salud.

PAULA.   Mira tú también que celebrar semejante aniversario... *(Anda, haciéndose la coja.)*

TOMÁS.   Glorioso, Paula, glorioso.

PAULA.   Como toda la gloria sea quedarse con la pata
tiesa, estamos listos.

TOMÁS.   Vaya modo de hablarle a un herido de guerra.
Así está España.

PAULA.   Un herido de guerra, ¡qué dolor de hijo! Una
botana y arreglado. Se acostumbra uno a andar sin
tantas cosas... Tampoco debías tú tener unas piernas
como para tirar cohetes. Pero, yo.. yo sí que estaba rica. Y ya ves: soltera de guerra. Ay, que me muero. No
quiero hablar. Veintisiete años solterona de guerra.
A todos nos dejó cojos la inclemencia. A cada cual, de
una pierna. A ti, de la derecha. A mí, de la de en medio. ¡Qué tristeza más grande!

---

    7  *Oliscón:* «Persona entremetida y aficionada a averiguar lo que no
debe importarle» *(Vocabulario andaluz,* pág. 436).

TOMÁS.   Hazte, hazte la víctima. Me gustaría a mí saber de dónde salieron tus tres hijos, soltera de guerra.

PAULA.   ¿De verdad quieres saber de dónde me salieron?

TOMÁS.   ¡Descarada! *(Se acerca.)*

PAULA.   No me hagas más la rueda, palomo buchón. De nadie soy.

TOMÁS.   Porque tú quieres.

PAULA.   A ver quién puede poner junto al mío un nombre de hombre. Y cuidado que este pueblo vive de calumniar.

TOMÁS.   Sería un forastero. O tres forasteros. Misteriosilla... ¿Ni ahora en primavera te pide el cuerpo guerra?

PAULA.   Y dale al pobre con el cacho pan. ¿Otra vez la guerra? No te acerques.

TOMÁS.   Con alguien tendrías los hijos, digo yo.

PAULA.   No, señor. Que los tuve yo solita. Soy yo mucha mujer. ¡Que te doy un tortazo! Porque una haya hecho un hijo de cuando en cuando, todo el mundo se cree con derecho a meterle mano... ¡Pero qué hombres más guarros, Virgen! Déjame en paz fregar las babas de los cuatro muertos de hambre que pasan por aquí. De nadie he sido. Eso sí: serví a todos, como Dios manda en una cantinera: al primero que me pedía un dedal de vainilla. Al primero que me pedía un traguito de ojén. ¡Hala!, a todos, como el sol. Cada mañana, mi mata de albahaca, y a servir. Más contenta que el mundo. *(Se ha acercado al fregadero, se ha entristecido.)*

TOMÁS.   Tómate otra copa, verás cómo te olvidas.

PAULA.   No me quiero olvidar, Tomás. Si lo que pasa es que no quiero olvidarme... Ni siquiera una taberna en una esquina, que es lo justo, con una clientelita formal...[v] Un cañizo en medio de un baldío, toma del frasco: como las ovejas. Despachando a los que viajan en los trenes correo. Y qué feísima se pone la gente cuan-

---

[v] normal.

do viaja en los trenes correo[8]. Será la carbonilla o yo no sé, pero qué fea se pone. Parece que van todos a enterrar a su padre, leñe. Y gente de paso que, como no va a volver a verte, ni te deja propina. Con la prisa... Si un tren para aquí un minuto es todo lo del mundo...

TOMÁS.    Algunas veces tardo yo más en darle la salida.

PAULA.    Pero no lo haces por mí, que te calé: lo haces por presumir.

TOMÁS.    Esto te gusta, pécora. Que si no bien podías traspasar el negocio.

PAULA.    Eso sí que no. Aquí he nacido yo y aquí me quedo. Aquí tuve mis hijos y de aquí se me fueron. No quiero pueblos yo. Con los pies para alante me tendrán que sacar de este chambao[9]. Y Dios quiera que tarden. Tienes mucha razón. Sentir pasar los trenes. Sentir que los demás se mueven de un sitio para otro, culos de mal asiento. Ver la vida pasar delante de esa puerta[10]. Oler los humos, que rascan la garganta, como almendras amargas. Y la luz... *(Pensativa.)* Hay quien está peor. Hay quien está muchísimo peor. *(Reacción.)* Ahora te invito yo, recuenco. Vamos a beber de mi coñá. *(Saca de la bolsa otra botella.)*

TOMÁS.    Ah, conque tú compraste para ti...

PAULA.    También tengo yo hoy mi aniversario.

TOMÁS.    Misteriosilla...

PAULA.    Quietas las manos, que luego vas al pan. *(Brindis.)* Por la pierna que te dejaron sana.

TOMÁS.    *(En voz baja.)* No, vamos a brindar primero

---

[8] Díaz Padilla hace notar que aparecen aquí ecos de los viajes de Gala en los trenes correos entre Sevilla y Córdoba durante sus años universitarios.

[9] *Chambao:* cortijo pequeño. (*Vocabulario andaluz,* pág. 191.)

[10] Repárese en la semejanza del uso metafórico del tren aquí y en *El tragaluz* de Buero Vallejo. En las dos obras hay personajes que no han subido al tren y que desde la perspectiva de sus vidas estancadas sólo miran pasar a la otra gente.

por la otra. *(Inclina la mano, con la copa, hacia la pierna derecha.)*

PAULA. ¡Ah! Pero, ¿bebe sola? ¿Qué haces? (TOMÁS *deja la copa, se remanga la pernera, dispone el esparadrapo...)*

TOMÁS. Ponerme un esparadrapito.

PAULA. Qué borrachera más tonta tienes, hijo. ¡Si te lo estás poniendo en la de palo!

TOMÁS. Ya lo sé, pero es muy buena. Me ha acompañado mucho. Y, de vez en cuando, hago como si me doliera. Para que no se aprecie en menos que la otra. ¿No son mías las dos? Hago como si me hubiese rozado un poquito la bota.

PAULA. *(Agachándose.)* Trae que te ayude, hombre. Eso está muy bien. Así tiene que ser. O jugamos todos o rompemos la baraja. Todos iguales hasta para las mataduras.

TOMÁS. *(Mientras PAULA acciona, pensativo.)* Hacía ya calor y olía la resina. Íbamos agachados debajo de los pinos. Despacio. Buscando una guerrilla. Y, de pronto, un tiro, dos tiros, veintisiete tiros.

PAULA. Para eso sirven las guerras. Para no dejar que se echen la siesta las chicharras.

TOMÁS. Era en Castilla. En Castilla no hay chicharras.

PAULA. O las personas. Digo yo que en Castilla habrá personas.

TOMÁS. Alguna, pero lo que más abunda es el secano... Y yo, con mi Detente aquí. *(Señala el pecho.)* Un corazón echando fuego.

PAULA. Eso es bonito: ya ves tú lo que son las cosas.

TOMÁS. «Detente, enemigo, que el Sagrado Corazón de Jesús está conmigo.»

PAULA. ¿Y hacían caso las balas?

TOMÁS. Unas veces, sí, y otras, no; según.

PAULA. Según la puntería del enemigo, claro. Como las pobrecillas no saben leer.... *(Reacción, levantándose.)* Pues debías haberte puesto el Detente ese en la rodilla.

TOMÁS. Si no me atinaron en la rodilla... Fue en la corva. Sonó igual que una rama seca, y me quedé allí mismo más plantado que un pino. Lo último que vi fue la sombra de una nube en la tierra.

PAULA. ¿Y adónde caminabas para que te hirieran en la corva, hijo? Un tiro, dos tiros, veintisiete tiros y volviste la grupa, ¿no es eso?

TOMÁS. Es que... nos habían cercado.

PAULA. A saber si no te dio uno de los tuyos. La guerra es un desorden. En otras, no te digo: al que habla en extranjero, se le apunta y ya está. Pero en la nuestra... como todos hablábamos lo mismo...

TOMÁS. Un héroe. Yo fui un héroe.

PAULA. Porque no tendrías más remedio. Bernardinas a mí. Ya con el tiro dentro...

TOMÁS. Las torcaces también se despertaron, ¿te enteras? Y la sangre. La sangre es más espesa de lo que yo creía. Y pegajosilla... *(La toca.)*

PAULA. *(Que ha estado atenta, reacciona.)* Tú sí que eres pegajosillo. Detente, enemigo. A ver si te crees que lo que tengo ahí dentro son dos bombas de mano.

TOMÁS. ¡Viva Cristo Rey![11], grité al caer.

PAULA. Mira qué monárquico.

TOMÁS. ¡Viva España!

PAULA. Buena está España. Ya está bien de guerra, ¿eh? Que decís «la Guerra» y se os llena la boca. En los años que han pasado has hecho una vida tan tonta, que si te quieres acordar de algo importante tienes que hablar del frente de Teruel[12]. Ya os daría yo guerra. Día por día. *(Por el fregadero.)* Ésta es mi guerra ahora.

TOMÁS. No se pasaba mal tampoco, esa es la verdad. Con el miedo y el frío o el calor y los sobresaltos se acaba por echar mucho compañerismo.

PAULA. Pues un poquito más de compañerismo y te arrean el tiro en la nuca. No quiero guerras. Claro, tú con tu destinito aquí y tu uniforme... que como vengan

---

[11] *¡Viva Cristo Rey!* Grito de las guerras carlistas.
[12] Se refiere a la Guerra Civil.

los inspectores y te vean con uniforme de jefe de estación te van a fusilar...

TOMÁS. *(Asustado.)* ¿Tú crees que me echarían?

PAULA. A patadas. Y que los inspectores no son cojos de guerra... Ellos tienen la obligación de inspeccionar.

TOMÁS. Pero, ¿y de comprender? ¿Quién tiene la obligación de comprender? A mi edad ya no puede uno quitarse un uniforme. Han pasado tantos años... ¿Tú crees que los inspectores vendrán sin avisar?

PAULA. ¿Es que la muerte avisa?

TOMÁS. Hemos pasado tantos años sin ellos...

PAULA. Porque tendrán otra cosa mejor que hacer que ver a un viejo tarabilla con un sombrero y una banderita.

TOMÁS. Pues yo no me lo quito.

PAULA. Allá tú. Pero así lo que pareces es un cura nuevo con boina de requeté[13]. Desengáñate: estás fatal. Ya te lo tengo dicho.

TOMÁS. *(Después de un instante de enfado, abre su periódico.)* ¿Vas a leer la carta?

PAULA. Cuando tenga tiempo.

TOMÁS. *(Por el periódico.)* Descontentos... Mano dura es lo que necesitan. A estos descontentos sí que les daba yo inspectores. Qué pueblo de catetos, madre. Y los turistas son los que traen tanto desasosiego. Porque de eso, aquí, nunca.

PAULA. *(Fregando.)* Sí, desasosiego y dinerito fresco.

TOMÁS. No podemos relacionarnos, está visto. Tenemos que estar solos. Si nos atacan de fuera, nos juntamos. Pero, si no... Porque la gente es que se aburre si no tiene su guerra a cada rato...[14].

PAULA. Tú no te hartas, ¿eh? Cuidado con el hombre.

---

13 Con esta alusión a los voluntarios que lucharon en las guerras civiles españolas en defensa de la tradición religiosa y monárquica, Paula refuerza el aspecto intrahistórico de la pieza.

14 Este comentario irónico de Tomás, quien perdió una pierna en la guerra, se parece a las palabras del viejo manco Marcos en *Las cítaras colgadas de los árboles:* «Desde que se acabaron las guerras, la gente se ha ido recuperando en vicios» (pág. 55).

Qué pena que se hayan ido ya los moros. Lo que tú hubieras disfrutado en Córdoba o Granada pegando arcabuzazos. Ay, qué ordinarios son. Y no podrán, cómo van a poder, hacerse a la idea de que ya no hay guerra que valga.

TOMÁS. *(Desafiante.)* Sí, pero, ¿quién me compone a mí la pierna?

PAULA. Y a mí, ¿quién me compone el pan de higo? No me hagas hablar. Seguro que lo que te pasó fue que te caíste, cuando chico, de una bicicleta y te entró la gangrena.

TOMÁS. Más cultura es lo que aquí hace falta.

PAULA. Eso. Y muchísima paciencia. *(Pito de tren.)* El ascendente. Anda, guerrero, ve a ponerle un petardo encima de la vía. *(Tomás apura la copa.)* Y no bebas más, que el mejor día me vas a meter el tren dentro de la cantina, condenado. *(Tomás sale.)* Un tiro en la otra corva es lo que estáis pidiendo. A ver si así os parábais todos de una vez. Ay, qué vida. *(Secándose las manos.)* Y ahora, al infierno, Paula. *(Levanta la trampilla. Mientras baja:)*

MADRE. ¿Por qué? ¿Por qué? ¿Por qué?

PAULA. *(Al verla, toda llena de lazos y cintas de colores.)* Eso digo yo. Ay, cómo se ha puesto. ¿Esto es una madre? ¡Esto es una mercería! *(Acciona ordenando, dejando lo que bajó, etc.)*

MADRE. En la cama que fue de mi madre. Donde dormí tres años con mi marido. Pero no me importaba... ¿No se habían muerto ellos? ¿No me dejaron sola? ¿Los maté yo? Se murieron sin dar explicaciones. Que se fastidien... Yo me acurrucaba cuando terminábamos... Metía mis pies entre tus piernas. Qué alto eres, Dionisio...

PAULA. Vaya por Dios, ya estamos inventando indecencias.

MADRE. *(Para sí, como en casi todo caso.)* La cama olía a membrillos. No; eras tú quien olía a membrillos[e].

---

[e] Falta esta oración.

Me mordisqueabas los bordes de los pies. Auj, auj, auj: lo mismo que un cachorro.

Desde pequeñita me quedé
algo resentida de este pie.
Y en el andar de padres carmelitas
disimular que soy una cojita
y si lo soy, lo disimulo bien[15].

Tenía ancho el pecho y la cintura recogida. Cuando yo la tocaba, tocaba el sol. Qué piel de calofrío. Bien vivo estuvo mientras yo lo tocaba. Dionisio. Te llamabas Dionisio. No te sirvió de nada.

PAULA. *(Mientras comienza a quitarle los cintarajos.)* Qué cabeza, Dios mío. Por qué cerros de Úbeda andará[16]. Dan ganas de sacudirla y decirle que vuelva y que se quede de una vez aquí. Sí, pero, ¿para qué? Mejor está donde está.

MADRE. Cuando se murió mi madre, yo no lloré. Hacía demasiado calor. Cuando se murió mi marido, no lloré. Había tormenta y tenía miedo.

Santa Bárbara bendita,
que en el cielo estás escrita
con papel y agua bendita.
En el ara de la Cruz,
Paternoster, amén Jesús[17].

---

[15] Esta canción de corro subraya dos aspectos importantes de la pieza. Sirve de eslabón entre los mutilados físicos (la cojera de Tomás) y los mutilados psíquicos (la aparente locura de la Madre). En el juego infantil, el niño que se mete en el centro finge la cojera. La canción así sugiere que la Madre está fingiendo y que «la cojera» le tocará después a otro personaje.

[16] *Irse por los cerros de Úbeda* equivale a perderse; aquí significa que la Madre habla disparatadamente.

[17] Esta oración popular aparece también en *La casa de Bernarda Alba* de García Lorca (Acto III). Se invoca a Santa Bárbara para protegerse del relámpago y la tormenta.

PAULA.  Madre, dé usted de mano a la cantilena, que es hora de cenar.

*(Comienza a preparar la cena, acción que abandonará o reanudará según el siguiente diálogo.)*

MADRE.  Yo le lamía el vello del pecho. Como una vaca a su ternero. *(Hace el gesto de lamer.)* Así, así, así. Él me tiraba de la trenza... Me deshacías el moño. Yo estaba acurrucada, como una cosa chica, entre tu ombligo y tus rodillas.

PAULA.  *(Gritando.)* ¡Madre!

MADRE.  *(Descubriendo una presencia.)* ¿Es usted, don Rufino? ¿Tiene usted ya que decírmelo? Todavía, no. Todavía, no. Luego me dará usted la noticia. Y su última carta. La guerra está acabando. Ya ha pasado lo peor del peligro. Bendito sea Dios. Mire usted dos jilgueros en medio del rastrojo. Y en la maceta, mire usted dos claveles. El más alto es tan reventón que se alabea el tallo. ¿Se fija usted? *(Excitada.)* Don Rufino, todavía no. *(A* PAULA, *que se aproxima.)* Si pasado mañana va a terminar la guerra. Si ya no es necesario que se muera nadie. Si ya no serviría... No me mire usted así, pájaro negro... ¡¡No!!

*(Detrás de la cortina de la izquierda asoma* DIEGO *la cabeza. La* MADRE *se calma de repente.)*

Y tampoco lloré. Pero me preguntaba: «Lola, ¿qué harás con estas manos? Lola, ¿qué harás con esta boca? ¿Quién te dará mordiscos en los pies por la noche?» *(Se echa a llorar, como una niña.)*

PAULA.  Ea, ea, ea, pobrecita. Si es mentira, madre. Si no soy el cura, si no soy don Rufino. Soy yo, su hija.

MADRE.  Cuánto has crecido. Y qué fea te has puesto. Qué arrugas más grandes tienes...

PAULA.  *(Bromeando.)* Para oírte mejor.

MADRE.  Qué ojeras más grandes tienes.

PAULA.  Para verte mejor[18].

MADRE.  Y cuántas canas.

---

18 Este diálogo sacado de *Caperucita Roja* recuerda el uso de *La Cenicienta* en *El sol en el hormiguero.*

PAULA.   *(Incorporándose, molesta.)* Como usté, madre; como usté.

MADRE.   Te ponías a hacer pucheros y el tío Dionisio, ¿te acuerdas del tío Dionisio?, te decía: «Una niña que tiene pecas no puede estar triste.»

PAULA.   Qué más quisiera yo que ser una niña ahora. Pero no se puede, ¿verdad, madre?

MADRE.   Tú, no; porque siempre has sido una tonta.

PAULA.   Vaya por Dios. ¿Y ése?

MADRE.   ¿Qué ése?

PAULA.   Ya lo sabe[v] usté.

MADRE.   No sé. No lo he visto. Habrá salido. *(Con mala intención.)* Mi primo Alejo salió un día a tomar el fresco hace treinta y dos años. Todavía lo está esperando su mujer.

PAULA.   Ay, qué embelecos. No caerá esa breva.

MADRE.   Me miraste de un modo...

PAULA.   ¿Qué pasa ahora?

MADRE.   Volvía de la iglesia. Del funeral de mi marido. Y me comiste con los ojos. Yo me dije: ¡Jesús!

PAULA.   Qué noche tiene usted, madre, hija. *(En efecto, ha ido atardeciendo arriba.)* Diego, Diego, no te hagas el sordo. Sal. *(Va hacia la cortina izquierda, la descorre.)* Míralo: haciéndose cucamonas delante del espejo. Ay, Señor. De loquera. Me veo de loquera.

DIEGO.   Estaba solo y...

PAULA.   Y te mirabas para hacerte compañía, ¿no? Ven. He traído muchas cosas.

DIEGO.   ¿Vendiste los carritos?

PAULA.   *(Sorpresa.)* Ah, sí. Los vendí. Y con lo que me dieron he comprado boquerones y piononos[19] y vino y coñá. Verás que festolín.

DIEGO.   ¿Se te ha olvidado otra vez la madera?

PAULA.   ¿Cuál?

DIEGO.   La madera para hacer más carritos.

---

[v] «ve» en vez de «sabe».

[19] *Piononos:* «pieza de dulce hecha una tira de bizcocho, enrollada y cubierta de yema de huevo» (*Vocabulario andaluz,* pág. 488).

PAULA.   Ay, es verdad. Qué memoria. Bueno, es igual. Así descansas unos días, piensas en otra forma nueva... ¿eh? *(DIEGO hace un dulce gesto de sumisión, que repetirá a menudo.)* ¿Qué has hecho hoy?

DIEGO.   Me he lavado los dientes.

PAULA.   Huy qué bien. ¿Y qué más?

DIEGO.   He leído.

PAULA.   ¿El Kempis o la cartilla? [20].

DIEGO.   Las dos cosas.

PAULA.   El Kempis, como ya te los sabes de memoria, va a haber que devolvérselo a don Rufino...

DIEGO.   ¡No! Bueno, como tú mandes. *(El gesto infantil.)*

PAULA.   *(Atenta.)* ¿Qué te pasa?

DIEGO.   *(Cada vez más desaparecido.)* Nada.

PAULA.   Ya me has hecho alguna. *(Va detrás de la cortina.)* Has partido el cepillo de dientes. A ver cómo nos limpiamos el sábado que viene.

DIEGO.   Se partió solo. Me distraje...

PAULA.   ¿Cuánto tiempo estuviste restregándote?

DIEGO.   Casi toda la mañana. Como tú no bajabas...

PAULA.   Tuve mucho que hacer. Fui al pueblo. *(Abriéndole la boca a DIEGO.)* A ver. Claro, tienes todas las encías en carne viva. Qué animal eres. Está visto que no puedo moverme de aquí abajo.

DIEGO.   ¿Fuiste con el hombre de arriba?

PAULA.   *(Que ha ido por vino.)* Que va. Yo sola. (DIEGO *baja la cabeza.)* Sabes que no te miento, Diego. Estuve sola, como tú, todo el día. Toma vino y enjuágate la boca. ¿Te escuece? Mejor, así te curas. Por burro. Pero no te lo tragues...

MADRE.   Ven, que es de noche.

PAULA.   *(Por la MADRE.)* Debe ser los primeros calores.

---

[20] Se atribuye al escritor místico alemán Tomás de Kempis (1379-1471) la *Imitación de Cristo,* obra traducida al castellano en 1536 por fray Luis de Granada. Van intercaladas en el diálogo de Diego citas tanto de este libro religioso como de la cartilla, libro infantil para enseñar las letras del alfabeto y los primeros rudimentos para aprender a leer.

Esta noche vamos a tener zipizape, porque ha habido un bochorno que...

DIEGO. *(Por el vino.)* Está bueno. Bebe. *(Bebe* PAULA.*)* ¿Tú crees que tu madre no se acostaba con tu tío Dionisio?

PAULA. Qué pejiguera. *(Como algo repetido.)* Dionisio no era mi tío. Era un hombre del pueblo[e]. Lo mataron al terminar la guerra. Cuatro días antes de que llegaras tú. Te he dicho mil veces que mi madre, desde que se quedó viuda, se puso un traje negro y hasta hoy. Tenía yo tres años. No levantó más los ojos del suelo.

DIEGO. Entonces, ¿por qué...?

PAULA. Leche, porque está como una cabra, ¿o es que no te has enterado en veintisiete años? Aquí todos destamos locos. *(Con tono muy natural.)*

MADRE. No, Dionisio; eso, no. Que nos mira la niña...

DIEGO. ¿Lo ves?

PAULA. ¿Y qué? Si se quisieron o no, yo no lo sé. Pero no se tocaron... Seguramente por eso está ella así. Entre las bombas y el morderse las ganas... La locura destapa los baúles, el cuarto oscuro que todos llevamos aquí, en la cabezota... se dicen esas cosas que habíamos soñado y nunca hicimos... Hoy he traído una cosa.

DIEGO. Un gazapito.

PAULA. No. Ya sabes que en esta oscuridad no se te logran, Diego. Hace siete años, ¿no te traje uno? Se te murió y luego estuviste tres meses que no hubo quien te consolara.

DIEGO. Todo pasa como las nubes, como las naves, como las sombras...

PAULA. ¿Qué?

DIEGO. Que un conejo no dura nada. Lo dice el Kempis.

PAULA. Ya.

MADRE. En besarlo de arriba abajo tardé año y medio...

---

[e] Falta esta oración.

PAULA. Y, ¿qué hizo usté, parada y fonda? Ay, Señor. Esto es lo que se saca de ser decentes. O tontas de capirote, que es lo mismo. Madre, traigo una carta.

DIEGO. Para mí.

MADRE. Para mí. No se había muerto. Los curas nunca tienen razón. Siempre se ponen en lo peor y nunca aciertan. Dámela.

PAULA. Pareja de egoístas. Cochos. La carta es para los tres.

DIEGO. Déjame. *(La huele.)* Huele a arriba. A aire. Es para ti. ¿De quién es?

PAULA. De Manuel[21].

MADRE.

> El veintiuno de marzo
> comienza la primavera,
> cuando los quintos soldados
> se marchan para la guerra.

*(Con mala intención.)* Tres hijos tuviste. Los tres se te fueron.

PAULA. ¿Y qué? Estoy contenta de tener mi sangre por ahí repartida. Aquí ya estoy yo. No iba a quedarme con mis tres hijos en las manos como las llagas de Nuestro Señor. Eran machos, ¿no? Si tienes yeguas, guárdalas. Si tienes potros, suéltalos. *(Ríe la MADRE.)* Yo les dije: «Al agua, patos, que ya sabéis nadar. Hala, a preñar alemanas, a hacerles barrigas a las francesas, a Barcelona, que aquí se ahoga uno.»
*(A PAULA le tiembla la voz. La MADRE se ríe a carcajadas.)*
Como debe ser. Como siempre ha sido en este pueblo. Aquí estamos a gusto los niños y las viejas. Y don Rufino... *(Con intención.)*

MADRE. *(Temblor.)* No.

---

21 Manuel es el menor de los tres hijos de Paula y Diego. Según Díaz Padilla, Gala se identifica hasta cierto punto con Manuel.

PAULA.  Los demás, ancha es Castilla y pies para qué os
quiero. Yo soy muy ventanera. Me alegro que se fue-
sen. Hoy escribe Manuel.
MADRE.  Mentira podrida.
PAULA.  Mire la carta.
MADRE.

> Las ovejuelas, madre,
> las ovejuelas,
> como no hay quien las cuide
> se cuidan ellas.
> Acitrón,
> tira del cordón,
> cordón de Italia...

*(Ríe.)*
PAULA.  *(Recoge la canción.)*

> ¿Dónde vas, amor mío,
> sin que yo vaya? [22].

Aquí no hay porvenir, madre. ¿O es que es usté sola la
que puede engañarse, la única que puede hacerse ilusiones? ¡Mala!
DIEGO.  ¿Por qué no pone mi nombre en el sobre?
PAULA.  *(Acorralada.)* ¿Por qué? ¿Por qué? ¿Qué quieres? ¿Que sepan que vive un hombre aquí y vengan[e] y
te trinquen? Cabeza de chorlito. Dice así: «Querida
madre»:
DIEGO.  ¿Ves?

---

[e] Faltan las palabras «y vengan».
[22] Según Eduardo M. Torner, en su *Lírica hispánica: Relaciones entre lo popular y lo culto,* Madrid, Castalia, 1966, hay un recuerdo di-
recto de un tópico universal de la vieja lírica en esta conocida canción
de corro. El tema del pastor que por pensar en amores olvida a las ovejas se remonta, por lo menos, al siglo XVI (págs. 222-228). De nuevo, la
madre toca el tema amoroso.

PAULA.   «Querida madre: me alegraré que, al recibo de ésta, te encuentres bien, en unión de la abuela, que te da tantos disgustos...»
MADRE.

> Papeles son papeles.
> cartas son cartas.
> Palabras de los hombres
> Todas son falsas[23].

PAULA.   *(Vengativa.)* «... y a la que tanto quiero y que tanto me quiere... Sabrás que aquí hace frío. Sabrás que me he mudado cerca de una estación y pasan trenes igual que ahí y se oyen de noche y no dejan dormir, igual que ahí, porque era más barato. Sabrás que aquí no se estilan los chorizos ni los melones y que cuando yo llegué mi hermano Damián se había ido a otro pueblo porque aquí no ganaba. De modo que me comí yo solo la tortilla, que ya estaba muy dura. Sabrás que aquí lo que más hace es frío y llueve y los árboles son casi negros y el personal habla de una forma que no se les entiende y te mandan de un lado para otro como si uno fuese un tonto. Yo estoy muy contento. Ahora estoy sin trabajo y por eso te escribo, porque cuando entre a trabajar otra vez ya no podré. Yo es que estoy muy contento. A lo mejor no se encuentra trabajo y entonces me iré donde el Damián. Ya yo te escribiré con lo que sea. Sabrás que aquí hay mucho porvenir y llueve mucho. No hay era, ni pozos, ni romerías, en lo que yo llevo. Ni melones tampoco me parece que haya. Por lo menos yo no los he visto. O que no sea aquí el tiempo. Lo que hay es mucho porvenir, madre. Sin más se

---

[23] Carlos H. Magis incluye esta canción en *La lírica popular contemporánea. España. México. Argentina,* México, El Colegio de México, 1969, págs. 477-78. Aquí lleva un doble sentido irónico. La madre sugiere no sólo que el amor de Diego no es duradero, sino también que la carta que lee Paula es falsa.

despide de ti tu hijo que te quiere y que lo es, Manuel. Da a padre un abrazo muy fuerte.

DIEGO. *(Le quita la carta.)* Eso no lo dice. No dice casi nada de lo que has leído. Además, tú no sabes leer tan deprisa.

PAULA. Para leer las cartas de mis hijos, maldita la falta que me hace saber leer. ¿No los he parido yo? Entonces. Las miro y ya está. Qué necesidad tengo de leerlas...

DIEGO. A mí no me han querido nunca. Ninguno de los tres. Se fueron y ni recuerdos mandan.

PAULA. Ay, que siempre tengas que coger el cazo por donde más te quemes. Siempre lo mismo: Qué sed tengo, qué sed tengo, qué sed tengo. Te dan agua. ¿Vas a estarte tranquilo? Pues, no: qué sed tenía, qué sed tenía, qué sed tenía. Hala, a mortificarse. Ya me amargó la carta... *(Al guardársela.)* Menos mal que tengo otra. Esta sí es para mí. *(Saca la que le dio* TOMÁS.) Léemela tú, que tanto sabes...

DIEGO. «Bellísima señorita: es imposible verla y no amarla...»[24]. Del de arriba, ¿no? (PAULA *afirma.)* ¿Cómo es?

PAULA. Viejo, gordo, calvo, cojo y feo.

DIEGO. No.

PAULA. Si no te crees todo lo que te digo no te vuelvo a contar nada. ¿Es que tienes celos de Tomás?

DIEGO. No.

PAULA. Si él está preso arriba, igual que tú aquí abajo...

DIEGO. Tengo celos de arriba. Esta carta huele también a aire. A jaras.

PAULA. Arriba no hay jaras.

---

[24] Como dirá Paula, las cartas amorosas de Tomás están copiadas de un libro de cartas para novios. Es posiblemente una crítica del ambiente de la posguerra el que los personajes de Gala sean capaces de expresarse libremente y por eso recurran con tanta frecuencia a los pocos libros que tienen o a la tradición oral.

DIEGO.   Tú dijiste que estaba todo lleno de jaras y de pinos y de corderos blancos.

PAULA.   Arriba siempre es... según te portas tú.

DIEGO.   Dijiste que estaba todo lleno de pájaros.

PAULA.   Lo dije pero no era verdad. Estaría de buen humor cuando lo dije. No hay nada arriba: polvo, piedras y cuatro matas secas.

MADRE.

> Del pellejo del Rey Moro
> tengo de hacer un sofá
> para que se siente en él
> el Capitán general.

DIEGO.   ¿Y el aire?

PAULA.   *(Como si hablara a un niño.)* El aire es malísimo. Te da y te salen granos, llagas o te da un paralís, o se te rompe el vaso de la mesilla de noche. Arriba hay que tener mucho cuidado. Hay que apartarse de los hormigueros, de los barrancos, de los cenagales. Todo eso trae muy mala suerte. Y hay que salir muy abrigado. Antes de irse al campo, conviene echarse entre pecho y espalda tres tragos de aguardiente. Así. *(Bebe tres veces y se ríe.)*

DIEGO.   *(Lee.)* «Su hermosa imagen está grabada en mi corazón tan profundamente, que donde quiera que voy la veo. Si contemplo el paisaje se asemeja a usted de tan bello...» El paisaje, ¿se parece a ti?

PAULA.   Sí. Sigue.

DIEGO.   Pero, ¿qué paisaje? ¿El que me dices cuando estás contenta o el que me has dicho hoy?

PAULA.   Los dos. Acaba de una vez.

DIEGO.   «Cuando escucho el trinar de los pájaros me parece escuchar su divina voz.» Te quiere, pero el amor de la criatura es engañoso y mudable [25].

---

[25] Diego parece estar citando de nuevo el Kempis.

PAULA. Qué tontería. Es una carta copiada de un libro para novios. Es la segunda vez que me la manda. Se conoce que sólo tenía quince y ha tenido que empezar a repetirlas.

DIEGO. «Solamente imploro de usted una palabra, que me indique que usted se interesa por los sufrimientos de mi corazón. Si usted me desprecia moriré lentamente, como muere la flor recién cortada. Y en mi agonía diré en todo momento: la amo, la adoro.» ¿Qué vas a contestarle?

PAULA. Ay, Diego, no terminarás nunca de soltar el cascarón del culo. ¿Qué voy a contestarle? Nada. ¿No ves que yo no tengo el libro de respuestas?

DIEGO. Ah.

PAULA. Trae. *(Guarda la carta. Saca de nuevo la de* MANUEL.*)* Manuel sí que me quiere. El que más tiempo me ha querido.

DIEGO. Es el más chico.

PAULA. Pero el más cariñoso.

DIEGO. Agustín es más serio.

PAULA. En cinco años desfilaron todos, uno por uno. Y nos quedamos solos, como antes, otra vez.

MADRE. Desfilaron... Dionisio, tú, no. Escóndete, Dionisio. Que vayan ellos.

Mambrú se fue a la guerra,
qué dolor, qué dolor, qué pena.
Mambrú se fue a la guerra,
no sé si volverá[26].

PAULA. Damián tiene tus mismos ojos. Agustín tiene la boca como tú, apretada. Pero Manuel es el que más me quiere.

---

[26] Mambrú es el nombre que el pueblo dio al duque de Marlborough (1650-1722), general inglés que se distinguió en la guerra de Sucesión española. La conocida canción popular refuerza aquí un tema básico del drama de Gala, es decir, la separación y posible muerte como resultado de la guerra.

DIEGO.    Tenía tres años...[27].
PAULA.    ¿Cuál de los tres? Todos han tenido tres años.
MADRE.

> Las noticias que traigo,
> qué dolor, qué dolor, me caigo.
> Las noticias que traigo,
> dan ganas de llorar.

DIEGO.    Manuel. Tenía tres años y estaba un día arro-
padito con una manta. ¿Tienes frío?, le dije. *(Dice que
no con la cabeza, como un niño.)* Como te veo con esa
manta... Por eso no tengo frío, me contestó. Desde entonces supe que él tampoco me quería.
MADRE.

> Que Mambrú ya se ha muerto
> mire «usté», mire «usté» qué tuerto.
> Que Mambrú ya se ha muerto.
> Lo llevan a enterrar...

Como si nunca hubieses estado en mi casa conmigo.
DIEGO.    Cuando Agustín, a los siete años, mató de un
cantazo al gallo del alcalde, cuando vino llorando porque le habían pegado... yo no pude salir a defenderlo.
Y él me miraba.
PAULA.    Tú quisiste. Lo que pasa es que uno no puede
casi nunca hacer lo que quisiera. Son hermosos los
tres. Tres hombres, Diego, como tres castillos. Ya verás cómo vuelven, que se nos van a abrir las carnes. Un
poco más enjutos, eso sí. Mataremos un cerdo.
DIEGO.    ¿Cuál?
PAULA.    Una buena matanza: pan de orejones, sobrea-
sada, morcillas, manteca colorada... Y los tres, como

_____

27 Díaz Padilla hace notar que el episodio que cuenta Diego del pequeño Manuel es autobiográfico. Véase también Mora Ferrada, «Érase
una vez un niño... llamado Antonio Gala», pág. 9.

tres ratoncillos, tris, tris, tris, comiéndoselo todo. Una
hogaza, otra hogaza, comiéndoselo todo.

MADRE.

Un hijito que de él tengo
a fraile lo meteré,
y si no quiere ser fraile
entrará a servir al rey,
que donde ha muerto su padre
también podrá morir él.

*(Se ríe.)*
*(Recita.)*

San Antonio bendito
sólo te pido
que me des mucha suerte
y un buen marido,
que no fume tabaco ni beba vino
ni vaya a la taberna con los amigos [28].

*(Llora.)* Veintisiete años sin fumar. Veintisiete años sin
beber vino, sin ir a la taberna, Dionisio, llevas. Sin que
yo meta mis pies entre tus piernas como un par de to-
rrijas, Dionisio.

DIEGO. En las cartas no preguntan por mí.
PAULA. La censura, Diego.
DIEGO. Para las cartas, no. Llegan cerradas.
PAULA. Sólo hay censura para lo que a ti te conviene,
¿no? Pues sal. ¿Por qué llevas veintisiete años, que hoy
se cumplen, debajo de mis faldas? Sal a la calle. Vive,

---

[28] La conocida oración al santo casamentero subraya la angustia de
«la soltera de guerra», angustia expresada tanto por la madre como por
Paula, quien teme perder el amor de Diego. Viene intercalada en canciones infantiles, por ejemplo, «Quisiera estar tan alta». Véase Bonifa-
cio Gil, ed., *Cancionero infantil (Antología),* Madrid, Taurus, 1974, página 91.

so leñe, vive. Veintisiete años sin ir a la taberna. Vete si no hay censura. Contigo no se puede.

DIEGO. En las tabernas había rábanos y aceitunas. Nos echaron de la taberna y nos dieron fusiles.

PAULA. *(Gozosa.)* ¡Lo adiviné! *(Desenvolviendo un paquete hecho con un periódico.)* Aquí lo tienes: rabanitos. Ay, cómo crujen. Y aceitunitas verdes. Y las negras, que saben a cebolla y a pimentón y a hinojo. ¡Qué ricas! (DIEGO *toma el periódico.* PAULA *se lo quita.)* Deja eso. Es del año pasado.

DIEGO. Del año pasado... *(Con ilusión.)* Dámelo. Al principio me traíais periódicos...

PAULA. *(Tirándolo.)* ¿Qué te importan a ti las sandeces que se les ocurren a los bobos de arriba? Son de hace mucho tiempo.

DIEGO. Tiempo, tiempo. ¿Qué es el tiempo? ¿Soy yo quizá?

PAULA. Ah, el Kempis[29].

DIEGO. No; esta vez, no.

PAULA. Hijo, pues podías avisar. Porque una no sabe nunca a qué atenerse.

DIEGO. Si tuviéramos fe, podríamos salir de aquí. La fe mueve de lugar las montañas.

PAULA. La fe no sé, pero la bomba atómica sí que mueve de lugar las montañas. Mejor estarse quietos... ¿Te acuerdas, Diego?

DIEGO. ¿De qué?

PAULA. De cuando se fue Manuel.

DIEGO. Estaba lloviendo como si no hubiera llovido nunca. Con una mala uva...

PAULA. Eso tampoco será del Kempis, ¿no?

DIEGO. No.

PAULA. Ni de la cartilla.

DIEGO. No. La cartilla les sirvió a los tres en la escuela. Mírala. Esta mancha de tinta es de Agustín. Esta es-

---

[29] Las palabras de Paula señalan la ya mencionada tendencia de Diego de citar el libro de Kempis.

quina la rompió Damián. Este racimo que hay... aquí,
en la U. Este racimo lo pintó Manuel.

PAULA.   Siempre fue el más artista[30]. Y este bigote a
Santiago Apóstol, ¿quién se lo ha pintado?

DIEGO.   *(Avergonzado.)* Yo.

PAULA.   Ya me pareció nuevo. El bigote... ¿Te acuerdas
de lo que le dije? Anda, empiézalo tú...

DIEGO.   Te vas al extranjero, Manuel, mi niño... Manuel, mi niño...

PAULA.   Te vas al extranjero, Manuel, mi niño, y allí te
dejarás bigote o sabe Dios. Aquí está la merienda.
*(Representa la escena, como si la estuviese viviendo.
Hace el gesto nervioso de quitarse unos hilos imaginarios.)*
En el tren, ten cuidado, que hoy viaja mucha gente y
cada cual es de su padre y de su madre. Guarda bien el
dinero. Cuando duermas te lo pones atrás, en el bolsillo del trasero. Cuando comas, le ofreces a la gente, pero no mucho, que el viaje es largo y no quieras figurar-
te las porquerías que comen por ahí fuera. Y abrígate
bien, que en el extranjero hace mucho frío. No salgas
sin bufanda. Te he puesto una bobina blanca y otra negra, por si acaso se te cae algún botón... Estoy llena de
hilos. Cómo se pegan los hilos a lo negro... Que comas,
Manuel, hijo. Mastica bien, despacio, que si no, no ali-
menta, ya lo sabes: tú eres muy tragaldabas... Y cuando veas a tus hermanos... porque en el extranjero se
verá la gente, digo yo... Ya, ya sé que ellos están en
otra parte, pero si tú los ves por casualidad, les dices
que escriban. Que hace tres años uno y cinco años el
otro, que no sabemos de ellos... Estos malditos hilos...
Que nos escribáis, hijos... Si te dejas bigote, me man-
das una foto. Pórtate bien, que yo esté muy orgullosa,
¿eh? ¿Lo tienes todo ya? Toma, te dejas esto: *(Se aga-
cha y toma algo imaginario con la mano.)* Un poco de
tierra, de tu tierra. Llévatela. No la pierdas. Dale un

[30] De acuerdo con la teoría de Díaz Padilla, será otra referencia
autobiográfica.

beso a la abuela, que es una pesada. No tardes. Vuelve pronto, Manuel, tú por lo menos... Ya está ahí el tren. Y estos hilos... *(Se le rompe la voz.)* Si estuviera dormida cuando vuelvas, me llamas, que esté yo donde esté te oiré llamarme. Adiós, Manuel, mi niño...

DIEGO.   Y a tu padre, ¿no le dices nada? (PAULA *le tapa la boca; él se libra.)* Por él me voy[31]. Igual que Agustín y Damián. Por su culpa he tenido que callarme cuando me han llamado hijo de... (PAULA *vuelve a taparle la boca.)* No quiero verlo más. No quiero vivir más al lado suyo. Me da vergüenza de él. ¡Cobarde! (PAULA *oprime la cabeza de* DIEGO *contra su pecho.)*

MADRE.

> Ya no florece, ya ha florecido
> A la flor del romero, que se ha perdido[32].

PAULA.   No lloro. Yo no lloro. No tengo motivos. Tengo tres hijos como tres soles. Y tengo mi marido o lo que sea: qué más me da ya a mí, quién le pone los nombres a las cosas. Y tengo mi madre, aunque sea turulata. ¿Qué puedo querer más? Otras tienen menos. Otras tienen menos. Otras tienen muchísimo menos. Y tengo este pan y esta fuente de boquerones fritos y esta jarra de vino. ¡Hala, a comer!

MADRE.

> Tanto collar de plata,
> tanta pulsera.
> Luego llega la noche,
> no tiene cena[33].

---

31 Aquí Diego asume el papel de Manuel cuando abandonó a su familia.

32 Torner, en su *Lírica hispánica: Relaciones entre lo popular y lo culto,* cita una canción asturiana que aclara el sentido aquí de lo que canta la madre: «La flor del romero / la están cortando ya. / Si la cortan que la corten, / que a mí lo mismo me da. / La niña bonita / la están llevando ya...» (pág. 119). Es decir, que al hombre el amor de la mujer no le importa nada porque siempre hay otras mujeres. Los hijos de Paula ya la han abandonado y teme que Diego haga lo mismo.

33 Magis cita una canción muy parecida que identifica como canción

*(Se tapa el delantal.* PAULA *lucha con ella hasta sacarle un mendrugo del bolsillo.)*

PAULA.  Madre, urraca. ¿Será posible que no se haya enterado todavía de que ya no hay escasez? ¡Ah, a guardar, a esconder mendrugos! Mira, mira qué pena de bolsillo. Lleno de migas, que luego se mete en la pila y se forma un engrudo que no hay Dios que lo quite. Puerca, que es usté una puerca.

MADRE.  *(Otra vez ida.)* Me dijiste una vez: Anda, mete la mano en mi bolsillo. Traigo un regalo. Y tenías roto el forro, Dionisio. *(Ríe.)*

PAULA.  Diego, ¡mi regalo! Se me pasó con tanto Cafarnaún[34]. Hoy hace veintisiete años que llegaste. Bésame, Diego.

DIEGO.  La guerra...

PAULA.  *(Señalando su mejilla.)* Bésame aquí. *(La besa.)* Veintisiete años sin moverte de mi vera. Para mí sola.

DIEGO.  Sin ver el sol...

PAULA.  El sol. ¡Huy qué trampantojo! Si afuera no lo hay. ¿Qué más sol que esta cara? Afuera sólo hay trenes, y humo y mucha mugre. Una cochiquera. Y coches, que te matan si te descuidas[35]. Tú, aquí, tan ricamente, pidiendo por esa boca. Arriba, ya te habría atropellado una alsina[36], o una pulmonía, o una locomotora...

DIEGO.  No me gusta que hables así de arriba. Para poder seguir aquí necesito pensar que lo de arriba es como un paraíso.

PAULA.  Paraísos no tendremos, pero, mira, tenemos un

popular de la provincia de Madrid: «Tanto reloj de plata / tanta cadena, / luego van a su casa / y no tienen cena» (pág. 481). Aquí la alusión es al hambre que sufrieron a raíz de la Guerra Civil.

[34] Cafarnaún es una ciudad de Galilea de importancia bíblica. Aquí Cafarnaún significa «jaleo».

[35] En *Se vuelve a llevar la guerra larga* de Alonso Millán, cuando Benito por fin sale a la calle después de treinta y dos años de encierro, el tráfico y los otros cambios le espantan tanto que voluntariamente vuelve a su refugio con Josefina.

[36] *Alsina:* coche de línea.

infierno para nosotros solos. No todos pueden decir lo mismo. Tú, con tal de quejarte, no sabes qué inventar.

DIEGO.   ... Hay adelfas, y piedrecitas, y gusanos de luz. Y caballos. Y muchas nueces.

PAULA.   *(Imperativa.)* No hay nada de eso.

DIEGO.   Aquí sólo hay grietas y esas manchas, que ya me las sé de memoria. *(Comienza a tocar las paredes, moviéndose como un animal enjaulado.)* Arriba está todo: el Sol, la Luna, las bocas, los trajes nuevos, el trabajo, todo, todo, todo...

PAULA.   *(Gritando.)* Te digo que no hay nada de eso.

MADRE.   *(Gritando.)* Apriétame más, más, que tengo frío. Que cada vez que tardas me da el frío...

PAULA.   Donde yo esté, para ti tienen que estar la Luna, el Sol y todas esas guarrerías que has dicho. *(Suave.)* ¿No me has oído? Te traía un regalo. (DIEGO *no escucha. Toca las paredes, las mide, se revuelve. Gritando otra vez.)*

MADRE.   ¡Dionisio!

PAULA.   No marees a mi madre, que se pone peor.

DIEGO.   Estoy buscando una salida.

PAULA.   No la hay. De aquí sólo se sale por arriba. ¡Para!

DIEGO.   Entonces estoy paseando. Tengo que pasear. Si no, ya sabes que se me duermen las piernas. Lo ha dicho el médico.

PAULA.   ¿Qué médico?

DIEGO.   Uno.

PAULA.   Aquí no ha entrado ningún médico.

DIEGO.   Bueno, pero de todas formas se me duermen las piernas.

PAULA.   ¿Y por qué no tomas un cuarto de hora el sol? Mientras pongo la cena. Siempre dices que te sienta muy bien.

DIEGO.   *(Grita.)* Porque es de noche.

PAULA.   *(Grita.)* Eso no importa aquí.

DIEGO.   Tú tienes el sol. Yo, no. Yo necesito imaginármelo. Y sólo puedo imaginarme lo que existe... y con mucho trabajo. Ahora no hay sol...

MADRE. ¡Es de noche!

PAULA. ¡Cabezones! *(Suave.)* No peleemos hoy, Diego. Hoy se cumplen los años.

DIEGO. *(Resistiendo.)* Según mis cálculos se cumplieron la semana pasada.

PAULA. ¿Ah, conque sigues tachando días en ese cochambroso calendario? Juraste por tu padre que no lo ibas a hacer más. Lo escondiste, ¿no? *(Va hacia un lugar preciso.)*

DIEGO. Ahí no está.

PAULA. *(Lo saca sin vacilar.)* Se acabó el calendario. *(Lo rompe.)*

DIEGO. ¡No!

PAULA. Ya no te doy el regalo. (DIEGO *inclina la cabeza. Como a un niño.)* Además, si ya sabes que cada cuatro años febrero tiene veintinueve días... Siempre estás adelantado.

DIEGO. ¡Es verdad! Febrero... Es hoy. ¿No me lo vas a dar?

PAULA. No. *(Comienzan el juego habitual.)*

DIEGO. ¿Qué era?

PAULA. Una cosa que le compré a un viajante.

DIEGO. ¿Grande o chica?

PAULA. Chica.

DIEGO. ¿Por qué letra empieza?

PAULA. Depende.

DIEGO. ¿De qué?

PAULA. Del nombre que se le dé.

DIEGO. ¿Si lo acierto me lo das? ¿Qué color tiene?

PAULA. Por fuera negro. Por dentro, no lo he visto.

MADRE. ¡Un grajo!

PAULA. No.

MADRE. Un gato negro.

PAULA. No.

MADRE. Entonces, no lo quiero.

PAULA. Como para usté no era...

DIEGO. ¡Otro Kempis!

PAULA. No. *(Saca un transistor de su bolsillo.)* Toma.

DIEGO. ¡Qué bonito! ¿Qué es?

PAULA.   Una radio. Escucha.
(Conecta. *Una música vulgar. Una voz: «Para su garganta, pastillas Amaranta. El mejor restaurante, Las Torres. Su Pascua junto al mar, Hotel Marysol.»* PAULA *lo gira; otra música.* DIEGO *se echa a llorar.)*
Diego, Diego. Con razón dicen que la música amansa a las fieras. Diego, mi niño...
MADRE.   Llorica, llorica.
DIEGO.   Háblame de la yerba.
PAULA.   Si ayer te bajé un puñado.
DIEGO.   Sí, pero mira... *(Se saca del bolsillo un poco de hierba seca.)* Esta mañana la regué, pero ya estaba seca. Háblame de los prados.
PAULA.   Son verdes.
DIEGO.   Verdes, ¿cómo?
PAULA.   Pues... como los árboles, como los chopos ahora... Más verdes que los olivos. ¿Te acuerdas?
DIEGO.   No. ¿Y la yerba?
PAULA.   Es como una toalla muy gorda, verde también. Tiene... como si fuera un fleco, pero de pie...
DIEGO.   De pie... Sigue.
PAULA.   Huele a tierra mojada.
DIEGO.   ¿Cómo es eso?
PAULA.   Igual que cuando llueve en agosto. Un poco antes de empezar a llover. Cuando caen las primeras gotas: toc, toc, y revientan contra el polvo... ¿Entiendes?
DIEGO.   *(Desolado.)* No. *(Por unas que tiene en la mano.)* ¿Y estas hojitas redondas?
PAULA.   Son yerba también. Son... *(No lo sabe.)* Tréboles.
MADRE.

Trebolé, ay, Jesús cómo huele
Trebolé, ay, Jesús, qué olor [37].

---

[37] Estos versos populares se remontan por lo menos al Siglo de Oro y sirven de estribillo en obras de Lope de Vega y Tirso de Molina. (Véase Torner, págs. 21-22.) Figuran ya en el *Romancero general* de 1600. El trébol simboliza el amor y el deseo de casarse; la niña que no coge el

DIEGO. *(Serio.)* No es verdad. Dijiste una vez que el trébol tenía siempre tres hojas. El día que bajaste uno de cuatro porque traía suerte. ¿No te acuerdas ya? Hace muchos años... Cuando Damián se partió la ceja, ¿te acuerdas ahora?

PAULA. Hace muchos años, ¿no? Traía suerte, ¿no? Y lo bajé, ¿no? Mecachi en diez, ahora mismo te bajo otro. Y yerba. Y un clavel. Y todo lo que encuentre. Y si puedo coger un conejo, te lo bajo también, que no sé por qué coño se tiene que morir un conejo donde puede vivir un hombre como tú. *(Sube.)* Mecachi en diez, que si hay derecho a esto, baje Dios y lo vea. *(Sale.)*

MADRE.

*(Mientras, en éxtasis, DIEGO oye la música.)*

Verdes era como tenías los ojos. Gato, gatito. Verdes, pardos, grises, de todos los colores. Te hacías el dormido, yo te pasaba la lengua por los ojos. Que le frían dos huevos a todo lo demás. Ya no quiero saber nada de nada. Ni del día ni de la noche. ¿Para qué tanta sangre? Por todas partes, sangre. Hace mucho tiempo que he cerrado los ojos. Los cerré para verte venir. ¡Pero no vienes! *(Se mete tras su cortina, dando un grito. Baja* PAULA.*)*

PAULA. Ha empezado a llover. Toma. *(Le da un poco de hierba y una flor.)* Huélelo. ¿Ves?

DIEGO. Así es la vida, como la yerba de los prados, que hoy es y mañana no aparece.

PAULA. Eres igual que un fraile en un sermón. Claro que si tú te entretienes, eso es lo principal... Sí, la vida es como un mes de noviembre y un puñado de yerba. Habría que apagar eso. *(Por el transistor.)* Me han dicho que se gasta.

DIEGO. Un poco más. Voy a decirte un verso.

PAULA. ¿Un verso? ¡Ay!

DIEGO.

*(Tras una pausa.)*

---

trébol la mañana de San Juan después no tendrá oportunidades amorosas. La canción de la Madre subraya de nuevo la angustia de Paula.

Subió una mona a un nogal
y, cogiendo una nuez verde,
en la cáscara la muerde.
Como le supo muy mal
arrojóla el animal
y se quedó sin comer.
Así suele suceder
al que su empresa abandona.
Le pasa como a la mona... [38].

Le pasa como a la mona, no me acuerdo de más.

PAULA.  ¡Qué preciosidad, Diego! ¿Lo has hecho para
mí?

DIEGO.  No, es de la cartilla.

PAULA.  Nunca había oído nada tan bonito.

DIEGO.  ¿Cómo es el mar? [39].

PAULA.  Yo no lo he visto. Será azul. Y un poco verde,
me parece. Y hace ras, ras, ras. Con espuma blanca...

DIEGO.  ¿Y por la noche?

PAULA.  Pues... por la noche, recoge espuma y se duerme. Y encima tiene barcos. Pero que le den morcilla al
mar. Vamos a comer. *(Diego se entristece.)* Luego te lo
explico. (DIEGO *saca una postal.*) [40] Ahí no se ve bien.
Eso es una playa. La gente no lo deja ver...

DIEGO.  Dicen que hay sitios donde los naranjos llegan
a la orilla del mar.

PAULA.  Eso son cotillerías de la gente, que es muy mala. No hagas caso. Venga, a comer. *(Va hacia la mesa
con una fuente.)*

DIEGO.  El hombre interior recibe mucha pesadumbre
con las necesidades corporales [41].

---

[38] La fábula que Diego ha aprendido de memoria de la cartilla es de
Félix María Samaniego (1745-1801).

[39] Este deseo de ver el mar se ha encontrado antes en el diálogo de
la Mujer Sola y el Marinero en *El caracol en el espejo* (pág. 150).

[40] Es otra situación paralela con *El tragaluz* de Buero Vallejo. El
padre, igualmente encerrado como Diego, también guarda postales y
las mira cuidadosamente.

[41] Diego está citando el Kempis.

PAULA.   ¡Qué redicho eres! *(Llega a la mesa. Un alari-do.)* ¿Quién ha cortado un trozo de la mesa? (DIEGO *baja la cabeza.)* ¿Por qué lo has hecho?

DIEGO.   No bajabas madera para hacer los carritos. Tenía que trabajar...

PAULA.   Al caracho los carritos, desgraciao. ¡Entérate de una vez! ¡Los tiro! Hace ya meses que los vengo tirando en cuanto salgo arriba. Nadie los quiere ya. En el pueblo están hartos de carritos. Todos los niños están hartos de tus estúpidos carritos. Y ahora haces esto en la mesa. ¡Qué desdichada soy!

DIEGO.   *(Que ha sacado algo de algún sitio.)* Toma. Toma: el destornillador, la escofina, los alicates, el martillo... Tíralo todo arriba. Tíralo. Ya no haré más carritos. Y tira éste también. *(Le da uno.)* Está sin terminar. Lo empecé hoy mientras estabas fuera.

PAULA.   *(Acariciándole el pelo.)* Si hubiera naranjas, ahora mismo te bajaba una naranja. ¡Guapo! ¿Quieres que retire la cena y haces un carro grande con toda la mesa? (DIEGO *dice que no.)* Que sí... *(Repite el gesto.)* Pues come entonces...

DIEGO.   No tengo gana...
   *(Ella lo sienta. Le dará de comer, como a un niño distraído, sin que resulte ridículo.)*
   Y Dios, ¿cómo es Dios? [v]

PAULA.   Jesús, qué cosas. ¡Yo qué sé! ¿Crees tú que Dios anda por ahí arriba para que yo lo vea?

DIEGO.   Está en todas partes. Sobre todo arriba, creo yo. ¿Cómo será?

PAULA.   Tan grande, que ya es como si no existiera. Come.

DIEGO.   Lo que pasa es que nosotros estamos metidos dentro de Él.
   *(La* MADRE *entra y sale, llevándose comida, de cuando en cuando.)*

PAULA.   Muy raro debe ser.

DIEGO.   Sabe todas las cosas: lo que hemos hecho y lo

---

[v] ¿Cómo será?

que no. Lo que pensamos y por qué lo pensamos. Y siempre está sonriendo por el aire.

PAULA. Pues no entiendo por qué sonríe tanto. Yo sólo creo en el infierno...

DIEGO. *(Mirando alrededor.)* En eso no hace falta creer.

PAULA. Es verdad. Somos tan pobres que no podemos ser demasiado malos. No tenemos más que un vicio grande: no querernos morir... Come.

DIEGO. Algunas veces no está uno seguro de no querer morirse....

PAULA. Ay, cada día que vas siendo mayorcito te gusta más contradecirme...

DIEGO. Claro, como tú estás en tu casa...

PAULA. ¿Esto es mi casa? Bah, todos vivimos en casa ajena, Diego. De aquí y de allá vamos cogiendo pajas para el nido y de repente viene un viento... y adiós.

DIEGO. Si hubiéramos matado, como pensábamos, a Tomás, el de arriba...

PAULA. Sí que te luce a ti leer el Kempis, hijo... Come deprisa, que mi madre nos deja sin nada.

DIEGO. Con la bala que queda en el fusil que traje aquella noche. Podríamos subir sin ruido, muy despacio. Y en un minuto... después yo podría tumbarme y mirar las estrellas.

PAULA. Ya lo haremos. Una noche de éstas. Aunque no es fácil, porque luego vendrán los inspectores...

DIEGO. ¡Ah, sí, los inspectores!... Pero yo ya habría visto las estrellas.

PAULA. Toma. Un día serás libre. Serás feliz y libre. Los dos juntos. Todo pasa. Sobre todo lo que nos parecía más importante. Sólo nos queda esto que no importaba nada: esa lluvia, el calor, este tabaco y este poco de vino: el puñado de yerba. Ni estación de partida, ni estación de llegada. Trenes y nada más: un agujero.

DIEGO. Para dormir, para comer, para seguir durmiendo[42].

---

[42] Hay aquí un eco del famoso soliloquio de Hamlet en la tragedia de Shakespeare, «Ser o no ser...».

PAULA. Para vivir.

DIEGO. No.

PAULA. ¿No? ¿De quién son mis tres hijos? ¿Del lucero del alba? Hemos estado juntos toda la vida ya, casi toda. Nos hemos hecho viejos juntos los dos.

DIEGO. Pero vivir, no.

PAULA. Algún día será verdad. Algún día esperaremos que amanezca riéndonos y saldremos del brazo, dando voces, y se enterará el mundo de quién es el padre de mis hijos.

DIEGO. No tener ni una sombra donde sentarse a morder un tallito... Ni una hoja pequeña que me caiga en el pelo. *(Ella le deja caer un poco de yerba.)* Nunca tuve suerte. Ni de chico. Una sola vez en mi vida rompí yo la piñata con un palo de escoba. Me cayó en la cabeza y me descalabró.

PAULA. Tentar a Dios es lo que estás diciendo. Cuántos están criando malvas ahora mismo. Y cae la lluvia encima de la tierra, donde no están siquiera ni bien enterrados. Por esos campos de Dios. Y ahí los tienes. Ni media palabra: muertos, muertísimos. Para siempre. Tú estás aquí conmigo. Alargo la mano y te siento la sangre en la muñeca. Alargo la mano y te siento crecer la barba. Y esta yerba. Y este vino. Y estas malditas moscas. Y este pionono, que te vas a comer ahora mismo, ¿no son gloria bendita? Ay, qué exigentes somos. Vivir, vivir: ¡qué porquería!

DIEGO. Vivir es cambiar, ser otro y otro, andar en busca de algo. Yo estoy parado. Yo no vivo. No estoy vivo ni muerto. Estoy como muerto, como vivo.

PAULA. Mejor. Te queda la esperanza de estar pronto de una manera o de otra. No vas a estar como muerto toda la vida. *(Saca una labor y teje.)* Y tener una esperanza de algo es siempre muchísimo mejor que conseguirlo. Hay en el mundo tanto jarro de agua fría...

DIEGO. Eso dice el Kempis.

PAULA. No, si ese tío no es tonto. Vamos a ver: ¿en qué crees tú que es distinta tu vida de la de un hombre listísimo o de la de un médico del seguro o de la de un

149

titiritero? en nada. Todo es una costumbre que nos va haciendo iguales los días unos a otros.

DIEGO.    Paula.

PAULA.    ¿Qué?

DIEGO.    ¿Para quién es ese jersey?

PAULA.    Para el Nuncio de Su Santidad. *(Sonríe.)*

DIEGO.    ¿Cuántos meses llevas con él?

PAULA.    ¡Huy, meses! Si no hace nada que empecé el elástico...

DIEGO.    Lo deshaces de noche, Paula. Te he visto yo[43].

PAULA.    Qué barbaridad, Diego. ¡Qué mentira más gorda!

DIEGO.    Lo deshaces de noche, Paula. Mira la lana: está rizada.

PAULA.    Porque me equivoqué.

DIEGO.    Lo deshaces para que no me dé cuenta de que pasa el tiempo... A lo mejor si un día dijésemos la verdad...

PAULA.    *(Mira alrededor, como asustada.)* Calla, ¿qué sabemos nosotros de eso? El día que salgamos vamos a hacer una cosa. *(Comienzan el juego.)*

DIEGO.    ¿Cuál?

PAULA.    Tengo yo un capricho. *(Misteriosa.)*

DIEGO.    ¿Cuál?

PAULA.    Vamos a ir a un sitio que yo sé y vamos a comer... gambas con gabardina. ¿Te gustan a ti las gambas con gabardina?[44].

DIEGO.    No lo sé.

PAULA.    Están riquísimas, ya verás. Y percebes, Diego, percebes. Y de postre, un helado.

DIEGO.    ¿Cómo son los percebes?

PAULA.    No sé, pero son también muy ricos.

MADRE.    Tienes tú que venir. Tienes que decirle a todo

---

[43] Es una referencia al mito griego de Penélope y Ulises, mito que formará la base de *¿Por qué corres, Ulises?*

[44] Las humildes ilusiones de Paula y Diego (ver el mar y probar las gambas y otra comida desconocida) se parecen a las de Crock y su Amigo en *El tintero* de Carlos Muñiz.

el mundo que no te has muerto nunca. Tienes que venir tú, porque a mí no me creen.

PAULA. El día que podamos salir juntos...

DIEGO. Nunca podremos, Paula. Estoy yo preguntándome, desde hace mucho tiempo, dónde vas a enterrarme cuando me muera. He pensado, para que sea más fácil, cavar yo desde mañana la fosa en aquel rincón.

*(Señala el de la madre. Ante la auténtica depresión insólita de* DIEGO, PAULA *está horrorizada.)*

PAULA. ¡Diego! *(Él apenas hace un gesto. Ella trata de hacerlo reaccionar como puede.)* ¡Vete a hacer puñetas! Nunca he tenido contigo ni un mal modo. Diego. Pero si sigues así te juro que cojo a mi madre y me largo de aquí con viento fresco. Porque tú lo que quieres es atormentarme y decirme maldades para que yo me asuste. Y que mi madre se caiga en la fosa y se parta una pierna. Eres un cabestro, Diego. Y un calzonazos y una gallina. *(Sin saber ya qué decir.)* ¡Granuja! ¡Hijo de la gran no sé qué! Que siempre te prefieres a ti mismo. ¡Burgués! *(*DIEGO *le da una bofetada.)* Ay, Diego, menos mal que has hecho algo. *(Sigue tejiendo.)* ¿Qué es burgués, Diego?

DIEGO. No sé. Por eso mismo.

PAULA. Lo he dicho sin intención.

DIEGO. Está bien. ¿Nos vamos al casino?

PAULA. No, que luego haces trampas en el dominó.

DIEGO. Te juro que no.

PAULA. ¿Por tu padre?

DIEGO. Por mi padre.

PAULA. Dilo todo junto.

DIEGO. Te lo juro por mi padre.

PAULA. Madre, que nos vamos al casino. En seguida volvemos.

*(Se van a un rincón donde hay un cajón, sobre el que ella depositó al llegar una maceta con cuatro o cinco espigas.)*

Te bajé tu trigal. No has dicho nada.

DIEGO. Ha crecido tan poco...

PAULA.    Tú ya se sabe: eres de melón y tajada en mano. *(Como si hablase a alguien, mientras baja la maceta.)* Dos copas de coñá. Dos buenas copas. Hoy es nuestro aniversario de bodas, ¿sabe usted? *(Las trae y sirve.)*

DIEGO.    Esto no es el casino. ¿Por qué no nos decimos la verdad?

PAULA.    ¡Calla! *(Da fichas.)* El seis doble.

MADRE.    Me están sonando las tripas.

DIEGO.    Con tu madre ahí, nadie puede creerse que esto sea el casino.

PAULA.    ¡Te he dicho que te calles! ¿Qué va a ser de nosotros si empezamos a pensar que esto no es casino? Pon. *(Le mira descaradamente sus fichas.)* ¿Por qué pones ésa, si tienes el seis-cuatro? *(Él había puesto el transistor un momento antes.)* ¿Qué es lo que te pasa? Ah, la música. Ya me parecía a mí que tú no eras el mismo. O música o dominó. *(Apaga.)*

DIEGO.    Es igual. Todo es pasar el tiempo. Irlo matando o irse dejando matar.

MADRE.

> En un verde prado
> tendí mi pañuelo.
> Crecieron tres rosas
> como tres luceros.

PAULA.    La alboreá. Sería a estas horas la primera noche. La primera vez. Tú no te acuerdas. Fuiste el primer hombre que me puso una mano encima, el primero que deshizo mi cama. Hay novias a las que preparan sus madres y las lavan muy rebién y les ponen agua de nardos en la pechera. Desde los quince años nos sientan a coser el ajuar, dejando vacío el sitio de las iniciales[45]. Mantelerías, toallas, embozos, mudas blancas... Te gané. Invítame a otra copa... ¿Tú cómo te llamas de apellido, Diego?

DIEGO.    Ramírez.

---

[45] Las ilusiones de Paula a los quince años son idénticas a las que recuerda Petra en *Petra Regalada.*

PAULA.    Y yo Marín. La eme y la erre, ¿ves? Las dos letras de la palabra «amor».

DIEGO.    Amor. *(Se ríe.)*

PAULA.    No sé de qué te ríes, so zanguango... [46]. Y las
casan y va todo el pueblo a la boda y se hacen un retrato donde salen fatal. Y luego las acuestan con el
novio en una planta baja y a cada cuarto de hora llaman los invitados a la ventana y los novios tienen que
darles peladillas y dátiles. Aquí no hubo ni una azu-
faifa, ni un piñonate, ni una peladilla. Mejor. No nos
molestó nadie. Los dos aquí, debajo de los trenes, solos
en mitad de la noche.

DIEGO.    Sí, escuchando los alaridos de tu madre y creyendo que esa iba a ser la última noche de mi vida.

PAULA.    Nadie sabe nada: fue la primera de la nuestra.
Veintisiete años y parece ayer.

DIEGO.    Te parecerá a ti.

PAULA.    A mí, sí. Te estoy viendo llegar. Acababa de
pasar un tren correo. Aquellos días pasaban muchos
trenes sin avisar, cuando estabas pensando en otra cosa. Cómo me iba yo a imaginar que mi hombre me iba
a venir así, de pronto, estando distraída, sin haberlo
visto venir camino adelante, sin que el corazón me hubiese dado un vuelco. Las cosas. ¿Qué fue lo que dijiste?

DIEGO.    ¿Está usté sola?

PAULA.    ¿Me llamaste de usté? *(Ríe.)*

DIEGO.    Sí. Y tú a mí también.

PAULA.    Qué risa. Coge tu fusil, Diego. *(De alguna parte, él saca un fusil mohoso.)* Vuelve a empezar.

DIEGO.    ¿Está usté sola?

PAULA.    Sí.

DIEGO.    En ese tren se han subido soldados. Van a pe-
dirme mis papeles. No llevo. Necesito esconderme.

PAULA.    ¿Por qué?

DIEGO.    Me encontrarán. Me fusilarán.

PAULA.    Pero, ¿quiénes?

---

[46] *Zanguango:* bobalicón *(Vocabulario andaluz,* pág. 660).

153

DIEGO.   El enemigo.

PAULA.   ¿Qué enemigo?

DIEGO.   Los otros. Los otros. Ellos. Escóndame.

PAULA.   No puedo. Tengo a mi madre enferma. Tienen que verla. Tienen que curarla. No puede ser. De verdad.

DIEGO.   Van a matarme. Tengo mucho miedo. Estoy cansado. No puedo más. No he comido desde hace cuatro días... Me he tenido que tirar en marcha de ese tren. Me he herido la rodilla.

PAULA.   ¿Está cargado ese fusil?

DIEGO.   Sí.

PAULA.   Pues bájelo entonces, no vaya a ser que me pegue usté un tiro... Yo creí que me estabas amenazando, pero no: tú bajaste el fusil. Pase usté. Coma usté de lo que haya. Descanse usté esta noche. Mañana, más tranquilo, se va usté donde pueda. Aquí no le conviene quedarse. Pasan tantos soldados en los trenes... Y comiste. Y bebiste. Y te dormiste encima de la mesa. *(Hacen los gestos.)* Yo, cosía la ropa... *(Pausa.)*

MADRE.   ¡Dionisio! ¡No! ¡No! (DIEGO *se despierta.)*

PAULA.   Lleva así cuatro días. Desde que el cura vino a traerle una carta.

DIEGO.   ¿Era el padre de usté?

PAULA.   *(Seca.)* No, no era nada mío. Ni de ella.

DIEGO.   ¿Entonces? *(Ella se encoge de hombros.)* En las guerras pasan cosas... ¿Usté es casada?

PAULA.   No. ¿Y usté? No me lo diga. No me importa. *(Se miran a los ojos.)*

DIEGO.   Por la noche, en el frente, cuando hay estrellas, mientras uno piensa que la metralla lo va a despanzurrar...

MADRE.   No te apures por mí. Yo estoy segura. No se me apaga, no se me apaga el corazón.

DIEGO.   ¿Qué dice?

PAULA.   Cosas que ya no entiende, de una manera que nadie entiende ya.

DIEGO.   ¿Y usted está sola con ella?

PAULA. Sí. No hay médicos. Yo no puedo abandonar la estación. Cuatro días así. Viene el cura algún rato, pero se cansa... Cuatro días con esos gritos dentro de las orejas...

DIEGO. Igual que yo.

PAULA. También yo estoy cansada.

DIEGO. Duerma usté un poco. Cuando amanezca yo la avisaré. O si algún tren... (PAULA *duda.)* ¿No tiene confianza en mí?

PAULA. Sí... Y entonces fui yo quien se durmió. *(Hace el gesto. Él la ve dormir.)*

MADRE. «Volveré. Volveré.» ¿Por qué no vuelves? Tú no tenías derecho a morirte igual que los demás. (DIEGO *alarga la mano y acaricia la sien de* PAULA, *que despierta. Se miran.)*

DIEGO. No sabe usté qué hacer, ¿no? *(Ella niega con la cabeza.)* Yo tampoco. ¿Tiene usté miedo? *(Ella afirma.)* Yo, también. *(Le pasa un brazo por el hombro.)* Ya veremos mañana.

PAULA. Tenías miedo, pero fuiste un hombre. Y mañana nos amaneció despiertos, solos.

DIEGO. Igual que luego todas las mañanas: cada día más solos, pero menos despiertos. *(Pita un tren.)*

PAULA. *(En la realidad ya.)* El descendente. No voy. Estoy mejor aquí. Tú me necesitas más que esos viajeros. Ellos ya llegarán a su destino[e]. Y si no, que les den dos duros. Tú ya llegaste. Tu destino era yo. Mi destino eras tú... Y ni siquiera te he vuelto a preguntar si eres casado. *(Mirada.)*

DIEGO. Vamos.

PAULA. *(Leve resistencia tímida y fingida.)* Diego.

DIEGO. *(Excusándose.)* Siempre lo hemos hecho así. *(Se aparta.)*

PAULA. Ya lo sé. Vamos.

DIEGO. Si no quieres...

PAULA. Sí. *(Va hacia su cortina, deshaciéndose el peinado, desabrochándose el traje. Pitido de tren. Ladri-*

---

[e] Falta esta oración.

*dos. El tren arranca. La noche.)* Tapa el espejo, Diego, y ven. (DIEGO *ha prendido el transistor y pone el oído junto a él. Pausa. Aparece* PAULA *con enaguas.)*

PAULA.    ¿Para qué habré yo traído eso? Ya hemos metido al enemigo en casa. *(Se miran.* PAULA, *dominante, desconecta la radio. Se va, seguida de* DIEGO, *tras la cortina.)*

MADRE.    Niños, niños. *(Pausa. Con otro tono.)* ¡Adúlteros, adúlteros!

## SEGUNDA PARTE

*(Últimas horas de una mañana de noviembre.)*

*(Tomás asoma unos segundos y tira adentro, en el escenario superior, una carta.* PAULA, *que estaba atareada de espaldas, lo nota, se asoma.* DIEGO, *abajo, tumbado, escucha su transistor.)*

PAULA. ¡Te pillé, Tomás, patituerto! No corras tanto, hombre, que se te va a partir la pata de palo. *(Ríe.)* En vez de dejarme las cartas, dime: la segunda, la octava, la décima. Si ya me las sé todas de memoria. «Distinguida señorita». *(Ríe.)* Cómo es, Dios mío. Cómo es este hombre. *(Casi besa la carta. Se la guarda en el pecho.)* Si no fuera por él... Después de todo, es lo único que tengo de verdad.

MADRE. Venías de noche. Yo te esperaba todas las noches. Llegabas tú, me quitabas la camisa. Me matabas, me matabas. Ay, qué muerte tan chica[47]. Ahora es de noche..., ven[e]. *(Cierra los ojos apretadamente.)* Ven ya... *(De repente.)*

> Ay, la mariquita de San Antón
> me está mordiendo los dedos
> del corazón.

---

[e] Falta la palabra «ven»

[47] *Que muerte tan chica:* esta expresión, encontrada en la poesía erótica francesa, se refiere al orgasmo.

*(Haciendo aspavientos.)* ¡Quita, quita, quita! ¡Dionisio!

PAULA. *(Abriendo el portillo, baja y lo deja abierto, cosa que nunca hizo hasta ahora.)* Me estáis desbautizando con tanta escarapela. *(A* DIEGO, *que está tumbado en el suelo, cerrados los ojos y en actitud durmiente.)* ¿Por qué no la entretienes tú? ¿Qué haces durmiendo a estas horas? Luego de noche no hay quien te haga pegar un ojo. ¿Es esto una casa, Dios mío? *(Cortando la radio, que estaba a gran potencia.)* ¿Es esto vida desde que entró aquí esta cochina radio? Di, ¿es vida este revolú?[48].

DIEGO. *(Muy tranquilo.)* La cartilla dice que el perro es el mejor amigo del hombre. Mentira: el hombre no tiene amigos...

PAULA. Pero la mujer, sí, gracias a Dios. Me tenéis aburrida. Una buena tarde me voy a caer muerta.

DIEGO. El perro no habla, pero ladra. Y el sol, no. No molesta. Lo único que hace es calentar. Estoy tomando el sol...

PAULA. Déjate de comiquerías y ordena esta balumba.

DIEGO. No te oigo, Paula. ¡Qué feliz soy! Me crujen todas las coyunturas. *(Desperezándose.)* Las rodillas, los codos, la cintura...

PAULA. Si yo no quiero, no lo puedes tomar. Si yo no te lo cuento, no sabes lo que pasa.

DIEGO. Ya no te necesito... Hay nubes y, de vez en cuando[v], me cae una sombra en la cara. Siento el sol... y la nube. El sol... y la nube. *(Espantándolos.)* Y hay mosquitos. Muchísimos mosquitos.

PAULA. ¡Aspavientos! ¿Por qué sabes que la nube es una nube y no una manada de mosquitos? *(Desafiante.)*

DIEGO. Porque no se dice «manada de mosquitos». Ah, las hormigas. Me molestan, me corren por los brazos, pero yo las dejo correr... ¡Qué bien...! Esa yerba que pincha, ¿cómo se llama?

---

[v] de cuando en cuando.

[48] *Revolú:* palabra de sabor andaluz que aquí se refiere a una situación desordenada.

PAULA.   *(Seca.)* No sé.

DIEGO.   Sí lo sabes: ortiga.

MADRE.   *(Con ganas de fastidiar.)* ¡Es de noche!

DIEGO.   *(Como un niño, de nuevo.)* Me ha pinchado...
¡Qué bien! ¿Y esa cosa verde, que salta y tiene patas
largas y con una sierra? Di.

PAULA.   Arroz con leche.

MADRE.   Yo veo dos tórtolas, una encima de otra ale-
teando y coleando. Están trayendo niños... ¿se dice
así...? O mordiéndose. Qué primorosas son...

DIEGO.   Las tórtolas no muerden. *(La MADRE ríe.)* Qué
rico está el sudor.

MADRE.   *(Ida.)* Qué cuello tan ancho tienes. Y qué bien
plantado, Señor. Toda mi vida, toda mi vida es llenar-
lo de besos...

DIEGO.   *(Cruel.)* Está muerto. (MADRE *ríe,*)

PAULA.   Oye *(Sagaz),* ¿y a esa ardilla? ¿Ves a esa ardilla, comiéndose una avellana? ¡Qué glotona!

DIEGO.   *(Preocupado, pero sin abrir los ojos.)* Nunca me
habías dicho nada de esa ardilla. No, no la veo.

PAULA.   *(Muy dañina, vengándose.)* ¿Por qué?

DIEGO.   *(En un hallazgo.)* Porque tengo los ojos cerrados. ¿Es que no te das cuenta?

PAULA.   *(Tentadora.)* Ábrelos, ya verás cómo te la encuentras.

DIEGO.   No quiero. Estoy mejor así, como andando por
encima de nubes.

PAULA.   ¿Es que has andado alguna vez por encima de
nubes?

DIEGO.   Sí, ¿qué pasa?

PAULA.   *(Vencida.)* Nada, era una curiosidad. Sigue tomando el sol. Te doy permiso. *(Ríe DIEGO.)*

MADRE.   Es de noche.

DIEGO.   ¡No quiero!

MADRE.   ¡Cobarde! ¡Cobarde!

DIEGO.   *(Incorporándose.)* A Dionisio le pegaron veinte
tiros, uno detrás de otro. Lo dejaron como un pingo,
con las patas abiertas.

MADRE.   *(Muy tranquila.)* No.

DIEGO.   Los sesos se le salían por un ojo. Las moscas se los comieron.

MADRE.   ¡Borracho, borracho!

DIEGO.   Unas moscas azules. Yo las vi.

MADRE.   Estabas tan vivo que no puedes estar muerto.

DIEGO.   Y reventó cuando la guerra había terminado. Cuando ya no hacía falta reventar.

MADRE.   Ven y mátalos a todos, Dionisio.

DIEGO.   ¡Cobarde, cobarde! *(A un tiempo.)*

MADRE.   ¡Mentira!

PAULA.   ¡Callad! *(Gritando, harta.)* Ahora es de día, pero está nublado.

DIEGO.   Hace ya rato dijiste que hacía sol.

PAULA.   Pero se ha ido. Igual que haré yo.

DIEGO.   Al fin y al cabo, ¿qué me importa a mí lo que haya fuera? Cuando me da la gana, me tumbo y tomo el sol. *(Lo hace.)*

PAULA.   Me iré. Una mañana os dejaré solos y me iré. Abriréis los ojos, creeréis que estoy arriba y me habré ido para siempre. *(Pequeño llanto de la* MADRE. *A* DIEGO.*)* Y la culpa es de estas otras voces, de esta otra... música. Tras de cuernos, penitencia.

DIEGO.   Pues, ¿por qué no me deja ella tomar el sol?

PAULA.   ¿Por qué no la dejas tú a ella acostarse con Dionisio?

DIEGO.   Yo no empecé.

PAULA.   Lo que importa es saber quedarse solo entre cuatro paredes. *(Otro tono, para distraer a* MADRE.*)* Madre, écheme usted las cartas. *(Saca un mazo.)* ¿Se acuerda cuando se las echaba usté a la gente del pueblo? Buenos pollos que se ganaba, ¿eh? *(Ha barajado, va sacando.)* Mirad. Una mujer rubia que se casa con un caballero moreno. Yo. Disgustos. Pero mucho dinero. Huy, qué alegría. Un señor mayor se mete por medio.

MADRE.   Quiero ponerme una flor en el pelo.

PAULA.   Oros. *(Otra.)* Ay, no me gusta ésta.

DIEGO.   ¿Cuál era?

PAULA.   No te lo digo.

160

MADRE. Una vez yo me puse flores en el pelo.

DIEGO. ¿Cuál era?

PAULA. El tres de espadas. Madre, tenga. Échemelas a mí.

MADRE. *(Cogiendo el mazo y tirándoselas a la cara a* PAULA.*)* Ya están echadas. A la cara, a la cara. No hay sol, no hay luna. Yo no quiero verlos. *(Muy suavemente.)* Dionisio es de noche y no hay luna. *(Va saliendo.)* Y anoche tampoco viniste.

PAULA. *(Recogiendo los naipes.)* El cartero me ha dado una carta.

DIEGO. A verla.

PAULA. *(Enseñándole una.)* De Manuel. ¿Por qué no dices que huele a arriba, como siempre?

DIEGO. El sobre está viejo. Es la misma de todas las semanas.

PAULA. *(En voz baja.)* Tengo miedo. ¿Qué está pasando aquí?

DIEGO. Además, sé muy bien que la escribiste tú[49].

PAULA. No digas eso. Mañana te arrepentirás de haberlo dicho.

DIEGO. No. Sé distinguir las letras.

PAULA. Si la hubiera escrito yo hubiera puesto cosas para ti, ¿no comprendes? Abrazos o recuerdos... para hacerte feliz.

DIEGO. No los pusiste para que yo creyera que no la habías escrito tú.

PAULA. *(Rompiendo la carta.)* Mira lo que has hecho.

DIEGO. *(Asustado.)* ¿Por qué no has seguido diciendo que era de Manuel?

PAULA. Porque estoy harta ya.

DIEGO. Eres un bicho, Paula.

PAULA. No soy un bicho. Es que estoy ya[e] cansada de engañarte.

---

[e] Falta la palabra «ya».

[49] La carta falsificada para mantener las ilusiones y por eso la felicidad de otro personaje es un tema frecuente en la literatura hispánica. En el teatro del siglo XX basta citar *Los árboles mueren de pie* de Alejandro Casona.

DIEGO.  No me engañabas. Yo sabía que era un juego.

PAULA.  Por eso. No se bromea con un juego. Se puede bromear con muchas cosas. Hasta con la muerte se puede bromear. Pero no con el juego, porque entonces... no hay juego. Se acabó. Y lo único que nos iba salvando era jugar muy seriamente. ¿Qué va a ser ahora de nosotros? *(Está anonadada.)*

DIEGO.  *(Consolándola.)* Cuando salgamos de aquí te compraré un sombrero azul... ¿Me oyes? ¿Me oyes, Paula?

PAULA.  *(Lejana.)* Sí.

DIEGO.  Entonces, ¿por qué no me dices, como siempre, que lo prefieres rosa?

PAULA.  *(Cansada.)* No; hoy lo prefiero negro.

DIEGO.  ¿Negro? *(En el colmo del asombro.)*

PAULA.  Sí, también el negro es un color.

DIEGO.  No me gusta. A ti te sienta mejor el azul pálido... No te distraigas, Paula... *(Sigue el juego.)* ¿Cómo es el azul pálido?

PAULA.  *(Desganada.)* Como mis ojos.

DIEGO.  Son bonitos. ¿Y los míos? ¿De qué color son los míos? Hoy no me dices nada...

PAULA.  Son como el turrón de guirlache. *(Pausa. Subrayando.)* Como el que traje para Navidad.

DIEGO.  Eso no lo habías dicho nunca... ¿Cuándo ha sido Navidad?

PAULA.  Varias veces estos últimos años.

DIEGO.  ¿Por qué no me avisaste?

PAULA.  Para que no te desazonaras. Tú de cualquier cosita haces un mundo. ¿No tenías tu cochambroso calendario...? El veinticuatro de diciembre, por la noche, solía ser Navidad... *(Lejana.)*

DIEGO.  Pero tú te callaste. Me acuerdo yo que entonces...

PAULA.  En cambio bajé turrón de guirlache.

DIEGO.  *(Pensativo.)* Comíamos un pavo blanco y gordo. Comíamos tanto, que no podíamos levantarnos de la mesa hasta después de hacer la digestión.

PAULA. *(Celosa de la vida anterior de* DIEGO.*)* ¿Quiénes no podíais? ¿Quiénes hacíais la digestión?

DIEGO. Yo y otra gente... Tú no los conoces... Antes, en otro sitio...

PAULA. ¿Dónde?

DIEGO. En otro sitio. En alguna parte... *(Vago.)* No me acuerdo ya bien.

PAULA. ¿Y yo no estaba allí?

DIEGO. No, Paula. Tú no estabas.

PAULA. *(Congraciándose.)* Pues aquí todavía hay guirlache. ¿Quieres un trozo? *(Va a buscarlo.)*

MADRE.

Dicen que Santa Teresa
cura a los enamorados.
Santa Teresa es muy buena
pero a mí no me ha curado.

DIEGO. No queda. Se lo guardó tu madre en el delantal... Y aunque quedara, no querría. Quiero tomar el sol. Si se come turrón vienen muchas hormigas.

PAULA. Si a ti te gustan las hormigas...

DIEGO. Ya, no.

PAULA. Lo que te ocurre... *(Alegre porque ha encontrado la solución: otro juego habitual.)* Lo que te ocurre es que estás como don Tello.

DIEGO. *(Cayendo en la trampa.)* Como don Tello, ¿qué? Sigue.

PAULA. *(Despectiva otra vez.)* Ya lo sabes de sobra.

DIEGO. Pero me gusta oírtelo decir. Como don Tello...

PAULA. Cuando le salió el vello.

DIEGO. Que por cada pelito...

PAULA. Daba un chillidito. *(Reacción.)* No puedo más. Me voy a volver loca.

DIEGO. *(Encantado.)* Así, así. Ya sabes que, por las mañanas, tenemos que pelearnos. Si no, luego no podríamos hacer las paces para dormir juntos.

PAULA. No me acordaba. Ya no sé lo que tengo que hacer y lo que puedo hacer. He dicho las mismas tonterías tantas veces, que ya las digo de verdad, sin acordarme de que es que tengo que decirlas... Como si pudiera hacer algo distinto. No sé nada. No sé...

DIEGO.    *(Conecta la radio. Música leve.)* Yo tenía un columpio colgado de una encina. La primera vez que la besé fue debajo de esa encina...

PAULA.    *(Agotada.)* ¿A quién besaste, Diego?

DIEGO.    Te digo que fue antes. Tú no estabas.

PAULA.    ¿Qué es lo que he hecho de malo? Antes yo era la misma que ahora. Veintisiete años lo mismo. Peor que ahora quizá. Y me querías. ¿Qué ha sucedido aquí? Si estamos solos, ¿qué puede haber pasado?

DIEGO.    El tiempo, Paula. El tiempo y que no estamos solos ya. ¿No oyes? *(Por la radio, que* PAULA *corta.)*

PAULA.    Pues yo con mi madre me entiendo muy bien.

DIEGO.    Porque no hablas con ella.

PAULA.    Sin embargo, contigo, ahora, aunque estuviese hablando todo el día no llegaría a entenderme.

DIEGO.    Porque tú y yo siempre hablamos de otras cosas.

PAULA.    ¿De cuáles? Dime.

DIEGO.    Ni de ti, ni de mí; de cosas. Lo peor son las cosas. Nos confunden... ¿Por qué no acabamos de mentir de una vez?

PAULA.    No es mentir lo que hacemos. Es intentar vivir. Otras gentes lo intentan de otro modo. Hay tantos modos de no decirse la verdad... Tócame, Diego... ¿Te gusta tocarme todavía?

DIEGO.    No sé. Como no hay otra... Tu madre nunca me ha gustado.

PAULA.    ¿Te he dicho algo malo, Diego? ¿No te lo he dado todo? ¿Qué vida tienes tú, aparte de la que yo te he ido contando?

DIEGO.    *(Airado.)* No vuelvas a decir eso otra vez. *(Atención.)* Sssss.

PAULA.    ¿Qué pasa?

DIEGO.    El de arriba. El guarda. Te has dejado abierta la trampilla.

PAULA.    ¿En qué lo conoces?

DIEGO.    Las pisadas.

PAULA.    No puede ser. Lo he visto meterse en su garita.

DIEGO.    Sssss.

*(Se oculta, mientras, en efecto, TOMÁS aparece arriba.)*

TOMÁS.    Paula, Paula.

MADRE.

Cucú, pasó una señora
Cucú, con falda de cola.
Cucú, pasó una criada
Cucú, llevando ensalada...

TOMÁS.    Paula. *(Se asoma por la trampilla, PAULA mira a DIEGO.)*

PAULA.    *(Enloquecida.)* Fuera de aquí. ¿Qué viene usted buscando? Esta es mi casa. Esta es mi bodega. Fuera. (TOMÁS *ha retrocedido algo, asombrado.)* Los de arriba, arriba. Los de abajo, abajo. ¿O es que no nos van a dejar ya ni pudrirnos?

MADRE.    *(Que se asoma.)* No me mire usté así, don Rufino, pájaro negro. ¡Ay! *(Se oculta de nuevo.)*

PAULA.    *(Mientras sube.)* ¡Fuera! *(Cierra la trampilla.)* ¿Por qué has venido?

TOMÁS.    *(Al notar el cambio de tono.)* Qué susto.

PAULA.    Tú te lo has buscado. ¿Quién te manda meterte en camisa de once varas? Te tengo dicho que por esa trampilla no puede mirar nadie. Es lo mejor. Hay cosas que no se deben ver... Cada día que pasa está peor.

TOMÁS.    Pero, ¿muerde?

PAULA.    Naturalmente. Sobre todo, de día. A los extraños, siempre, pero sobre todo de día.

TOMÁS.    No sé como tienes valor para quedarte a solas con ella.

PAULA.    Es mi madre, ¿no? A estas horas no vienes nunca, ¿qué pasa?

TOMÁS.    Es que se me ha caído un botón del uniforme.

PAULA.    ¿Y no pudiste esperar?

TOMÁS.  Mujer… las ordenanzas.

PAULA.  Venga esa chaqueta. *(Comienza a quitársela.)*

TOMÁS.  *(Tímidamente.)* ¿Leíste la carta? La de hoy no era del libro. Me salió a mí solo, de pronto.

PAULA.  No… Este botón lo has cortado tú, con tu navaja.

TOMÁS.  *(Confuso.)* También venía para traerte este obsequio. *(Es una hermosa naranja.)* La acabo de comprar. *(Se la da.)*

PAULA.  *(Mientras se sienta y se organiza para coser.)* Qué hermosa es. Parece de plástico. ¿Es de plástico?

TOMÁS.  No. Es de naranja.

PAULA.  Pues parece de plástico. La guardaré para Die… para comérmela abajo.

MADRE.  Dionisio, mátalos. *(Diego horrorizado, la sisea.)* Ábrelos en canal y échales arena dentro.

DIEGO.  *(Le tapa la boca, casi estrangulándola.)* Calla, calla o te mato. *(La* MADRE *corre, como un animal, hacia su habitación.)*

PAULA.  ¿Lo oyes? Es una pesadilla. *(Decidida.)* Tengo hambre. Voy a comerme la naranja ahora mismo, yo sola. *(La pela, va comiendo y cosiendo.)* Desde aquí arriba no se puede creer lo de ahí abajo… La gente que está así, como yo estoy ahora, sentada en una silla baja de anea, comiendo su naranja a este solecito de noviembre, cosiendo, cosiendo… Esa gente no se lo puede creer… ¿Cómo te gusta?

TOMÁS.  ¿El qué?

PAULA.  El cosido.

TOMÁS.  Resistente.

PAULA.  *(Maliciosa.)* ¿Para que lo vuelvas a cortar con la navaja? Digo si cruzado o sin cruzar.

TOMÁS.  Como quieras, Paula. *(Le pone una mano sobre el hombro.)*

PAULA.  Habrá muchas mujeres ahora mismo en el mundo cosiendo como yo. Una puntada, otra puntada… ¿Un gajo de naranja? (TOMÁS *lo acepta.)* Y tendrán hijos a su alrededor de padre conocido y hasta una mano encima del hombro.

166

TOMÁS.   Ya que no quieres tenerla en otro sitio...

PAULA.   Tomás, que yo tengo una mano en el hombro, pero tú la vas a tener en la cara.

TOMÁS.   Si tú quisieras, tu casa, tu buena cama, tu no hacer nada, tu manicomio para tu madre, tu de todo.

PAULA.   No me lo digas mucho, que el día menos pensado te digo que sí y te da un titiyote[50].

TOMÁS.   *(Avanzando la mano.)* ¿Por qué no probamos?

PAULA.   ¿A qué? ¿A estarnos quietos? *(TOMÁS se inclina y la besa el hombro, cerca del cuello.)* Siempre he soñado con que alguien me besara en un hombro de esa forma... No sé por qué. Hace tan gran señora que la besen a una un hombro así... *(Suspira, llevando el ritmo con la costura.)* De arriba abajo, de abajo arriba... No: arriba, arriba... Las otras estarán haciendo sus vainicas y sus bodoques con hilo blanco sobre tela blanca, que queda muchísimo más fino... Y sus filtirés... ¡Remoño, me pinché!

TOMÁS.   ¿Es sangre eso?

PAULA.   No. Es horchata de chufas.

TOMÁS.   ¿Me dejas que te chupe el dedo? *(Lo hace.)* Qué dulce está tu sangre.

PAULA.   Gracias, Drácula. Tu naranja también estaba dulce... ¿Por qué hacemos lo que hacemos, Tomás?

TOMÁS.   *(Asustado.)* Pero, ¿qué hacemos?

PAULA.   Nada. Si no sabemos por qué, no hacemos nada. Yo creo que lo que nos pasa es que tenemos hambre.

TOMÁS.   ¿Quién?

PAULA.   Todos. Comemos, se nos calienta un poco la barriga y no nos acordamos ya de nada. Nos entra un sueño, un sueño, y hala, hasta mañana. Y así otra vez, hasta el final. Hasta que vamos entrando en vía muerta... No hay que tomar las cosas muy a pecho.

TOMÁS.   ¿Qué cosas?

PAULA.   Las cosas. Todas, que pareces idiota.

---

[50] *Titiyote:* expresión coloquial que significa «ataque de corazón, espasmo».

TOMÁS.   Es que te expresas de un modo...

PAULA.   Yo sé lo que me digo. Se acabó. Ahora, ahorcarlo y cortarle la tripa con los dientes. Se acabó. Ahí va. *(Le tiende la chaqueta.)* Cómo vas a entenderme con tanto galoncillo y tanto sombrero colorao y tanto botón en la guerrera. Hay que estar muy en cueros, Tomás, pero que muy en cueros para enterarse de algo.

TOMÁS.   *(Ademán de desnudarse.)* Qué más quisiera yo.

PAULA.   Quieto, león. *(Le ayuda a ponerse la chaqueta.)* El acerico a su caja de carne de membrillo; tú, a lo ancho de la calle, y yo...

TOMÁS.   ¿Y tú?

PAULA.   ¿Yo? A arrepentirme de haberme comido sola la naranja. Ya ves tú si soy tonta. Anda con Dios.

TOMÁS.   El ascendente trae hoy una hora y media.

PAULA.   ¿Qué me vas a decir? Ya sé yo que ascender es mucho más difícil.

> *(Lo empuja. Sale* TOMÁS. *Ella lo ve alejarse. Tiene un gesto de duda. Abre la trampilla. Baja. La cierra con un gancho. A* DIEGO, *al que descubre tras la cortina, horrorizado.)*

¿Qué te pasa?

DIEGO.   ¿Se ha ido ya?

PAULA.   Sí, pero, ¿qué te pasa? Estás atarantado.

DIEGO.   Podía haberme visto.

PAULA.   No te ha visto. Quizá hubiese sido preferible. Así hubiéramos terminado de una vez.

DIEGO.   ¿Por qué dices eso? Estás deseando que me cojan. Estás deseando que me encuentren. *(Es presa de una tremenda excitación.)* Me vas a denunciar. Me vas a denunciar. Me has denunciado.

PAULA.   *(Muy serena, le da una bofetada.)* No.

DIEGO.   *(Tranquilizado.)* Has comido naranja. Te la ha dado él, ¿no?

PAULA.   Sí.

DIEGO.   Me has vendido por una naranja.

PAULA.   No. Todavía, no.

168

DIEGO. Pero lo harás.

PAULA. Creo que no, Diego. Sin embargo, un día lo haré.

DIEGO. Si yo pudiera salir, también te daría naranjas. Arriba, dar naranjas no es nada, no quiere decir nada... Si yo tuviera aquí, ahora mismo, una sola naranja para toda la vida, te la daría también... La mitad por lo menos...

PAULA. *(Enternecida un momento.)* Ya lo sé. *(Busca algo.)* ¿Dónde has puesto la radio?

DIEGO. *(Señalándose el bolsillo.)* Aquí.

PAULA. *(Rebelde.)* Es mía. Dámela. Si no puede ser de los dos, es sólo mía.

DIEGO. *(Seguro.)* No; es mía nada más.

*(Una breve lucha por la radio. PAULA, empujada, cae al suelo. Está extrañada sobre todo.)*

PAULA. Nunca te había visto así.

DIEGO. Nunca me has visto de ninguna manera. Me has inventado, pero no me has visto.

PAULA. Ya no lees el Kempis, ya no haces más que oír, oír... Si tanto quieres la radio, te la vuelvo a regalar. Es tuya, Diego.

DIEGO. Ya lo sabía... Anoche la puse un poco. Sólo un poco. Mientras tú dormías. Muy bajito. Ni siquiera te diste cuenta... Oí una voz, pero tan bajita que no entendí lo que decía... Decía que todos los que habíamos estado en la guerra podíamos salir arriba, volver, ¿te enteras? Con los demás, como si tal cosa, y comprarte un sombrero azul.

PAULA. Está bien. Siempre andas esperando lo mismo. Arriba, arriba: ni que fueses un globo. No habrá sombrero azul. Ni rosa, Diego. Ni de ningún color. Y yo, me alegro... Más vale que me ayudes a organizar esta zahurda. Barre, anda, mientras yo friego los cacharros. O aféitate, que buena falta te hace...

DIEGO. ¿Para qué?

PAULA. ¿No leíste que el señor ése que vivía solo en una isla, se afeitaba casi todos los días?

DIEGO. Barrer, afeitarme. Como el puñado de tierra

que le diste a Manuel el día que se fue. *(Escupe en el suelo.)* Esas cosas se quedan para los que salen y entran, y se mojan y les da el sol en la cara.

PAULA.   ¿Ah, sí? ¿Y para ti qué se queda?

DIEGO.   Pensar sólo en salir y entrar y mojarme y que me dé el sol en la cara. *(Se miran frente a frente.)*

MADRE.

>Alégrate, corazón,
>aunque sea por la tarde.
>Corazón que no se alegra
>nunca cría buena sangre.

PAULA.   Prefiero no hablar más. *(Va a limpiar alguna cosa.)*

MADRE.   Me gozó. Me gozó y lo gocé. No hicimos otra cosa que gozarnos. En la misma cama donde murieron mi madre y mi marido. Era como un pomelo: amargo y dulce. Ya no hay hombres así. Esta noche vendrá y os moriréis de envidia. Flojos, dátiles secos, sinsustancias. *(Ríe y se esconde. Sale.)* Espantapájaros. *(Se esconde de nuevo.)*

DIEGO.   *(Que ha conectado el transistor.)* Ayer oí cómo decían lo de la guerra. Que Dios nos perdonaba. Lo oí muy claro.

PAULA.   Sí, Diego, sí. Yo también lo oí. *(Con retintín.)* ¿Y de qué guerra hablaban?

DIEGO.   De la guerra.

PAULA.   Pero, ¿de cuál? Que siempre estáis pensando que no hubo más guerra que la vuestra.

DIEGO.   *(Cortado.)* Eso, ya no lo sé. *(Triste.)* No hay remedio, no hay remedio.

PAULA.   *(Volviendo a reencontrar al* DIEGO *de antes.)* ¡Diego! ¿Por qué no bailamos?

DIEGO.   ¿Bailar? No puede ser bueno.

PAULA.   Sí, hombre. En tanto tiempo, nunca me has llevado a un baile.

DIEGO.   Si quieres... *(Se acerca.)*

PAULA.  Espera que me arregle un poco, que estoy hecha una facha... *(Va a hacerlo.)*
MADRE.

> Madre mía, si me muero
> no me entierren en sagrado.
> Miau, miau, marramiau...
> Dejen mi cabeza fuera
> con el pelo bien peinado.

PAULA.  *(Arreglándose.)* A mí, lo que más me gusta es
el vals. ¿Y a ti?
DIEGO.  A mí me gustaba mucho el huevo hilado.
PAULA.  Digo de bailes, hombre.
DIEGO.  No sé. Yo tuve poco tiempo.
PAULA.  ¿Sí? ¿Qué hacías?
DIEGO.  Pues... lo que se suele.
PAULA.  ¿Qué se suele?
DIEGO.  Trabajar, descansar; trabajar, descansar; tra-
bajar...
PAULA.  ¡Para!
DIEGO.  Lo pasábamos más bien...
PAULA.  ¿Y después?
DIEGO.  Después ya, pegar tiros.
PAULA.  Digo los domingos.
DIEGO.  Jugaba al mus.
PAULA.  Qué soso, ¿nada más?
DIEGO.  Y al billar.
PAULA.  *(Con malicia.)* Pero, ¿no hacías más que jugar?
DIEGO.  Paseaba... *(Hay una suave música.)* Paseaba
por una acera ancha, llena de árboles anchos...
PAULA.  Diego. *(Él está ausente.)* Deja de pasear, ca-
ramba... ¿Ibas solo de paseo?
DIEGO.  *(Baja los ojos.)* No me acuerdo.
PAULA.  *(Provocadora.)* Yo, sí. Yo tuve un novio que
me abrazaba contra los almiares. El pelo se me que-
daba enredado de bálagos. Un día, dentro del río, ba-
ñándonos, me entró un temblor tan grande que por

poco me ahogo... Él me salvó y me tendió a secar. ¿No te da rabia lo que estoy contando?

DIEGO.   Yo entraba todas las noches en su habitación. Ella se hacía la dormida. Dejaba abierta la puerta y yo pasaba. Durante mucho tiempo, por el día, no hablábamos de nada. Ni nos mirábamos. Como si no nos conociéramos. Y de noche, tampoco. Nos bebíamos sólo. Nos bebíamos.

PAULA.   ¿Quién era ese zorrón «desorejao»?

DIEGO.   No me acuerdo.

PAULA.   No importa. Lo de fuera no existe. No existió nunca. Vamos.

DIEGO.   ¿Adónde?

PAULA.   A bailar. *(Da unos pasos de baile muy torpes.)* Vals, mazurca, polca, rigodón. Sácame.

DIEGO.   Pero, ¿de dónde? Esto no lo hemos hecho nunca, Paula.

PAULA.   Vamos, baila.

DIEGO.   Si no sé.

PAULA.   Ay, qué calamidad. Ven, yo te llevaré. *(Bailan unos compases.)*

MADRE.   Adúlteros, adúlteros. *(Se detiene la música.)*

PAULA.   Al primer tapón, zurrapa[51]. También hace falta cenizo. *(Mueve la manija del transistor.)*

VOZ DEL LOCUTOR.   Como anunciábamos en el extracto de anoche, leeremos a continuación el texto del decreto, que es el siguiente...

   *(Cambia* PAULA *la estación. Música.)*

DIEGO.   *(Gritando.)* Déjalo. Era esa voz. Era esa voz. *(Vuelve, tras unos balbuceos la voz del locutor.)*

VOZ.   ...En su reunión del día 28 de octubre de 1966[52], dispongo: Artículo primero.—Se concede indulto total de las sanciones pendientes de cumplimiento derivadas

---

[51] *Al primer tapón, zurrapa:* «mal comienzo en cualquier negocio o asunto» (*Vocabulario andaluz,* pág. 595).

[52] El «Indulto para extinción de responsabilidades políticas» que Gala cita aquí textualmente lleva el 10 de noviembre de 1966 como fecha de la firma de Francisco Franco y fue publicado en el *Boletín Oficial del Estado* el 12 del mismo mes.

de la legislación especial de responsabilidades políticas, cualquiera que fuese su clase y autoridad o Tribunal que las hubiere impuesto. Artículo segundo.—Por la Comisión Liquidadora de Responsabilidades Políticas se procederá a la ejecución de este indulto durante un plazo que finalizará el 31 de diciembre de 1966...
*(La lectura queda oscurecida por el siguiente diálogo.)*

MADRE. *(Sobre las primeras palabras.)* ¡No, don Rufino. No!

PAULA. ¡¡¡Madre!!! *(Al leerse el artículo segundo.)* Era verdad.

DIEGO. *(Sin dejar de oír.)* No, no, no, no...

PAULA. Era verdad, Diego. Es verdad.

(DIEGO *sigue diciendo que no. Ella lo sacude. Golpean al transistor, que enmudece.)*
Tienes que ir ahora mismo. Presentarte. En el Ayuntamiento. Donde sea. En el cuartel de los guardias mejor.

DIEGO. Es una trampa. Lo dicen para que salga, para freírme a tiros allá arriba. Me estarán acechando, con los fusiles a la cara...

PAULA. Tienes que salir, Diego. Es lo que tú esperabas. Se ha cumplido.

DIEGO. Me has denunciado tú. Es una trampa.

PAULA. Te juro que no, Diego.

DIEGO. No voy, no voy, no voy.

PAULA. Mira, Diego, que tú te estás sugestionando y eso es malísimo para los individuos. *(Él niega.)* Iré yo y lo diré.

DIEGO. Te mato si lo haces, Paula. De verdad que te mato.

MADRE. Mátalos, Dionisio. Tú eres el más fuerte. Me crujen las costillas cuando me abrazas.

PAULA. Diego, escúchame. *(Él se arrincona.)* Ven aquí y escúchame. Arriba está el sol, la luz. ¿No te acuerdas?

DIEGO. Arriba están los otros. Si no sabemos nada, ¿por qué va a ser arriba adonde esté la luz? ¿Por qué no va a ser ésta toda la luz? A esta luz estoy hecho. No salgo. ¿No comprendes? Lo de arriba puede existir o no, ser verdadero o no. Lo que sí es verdadero es lo nuestro de abajo.

PAULA.   Yo lo sé. Yo lo he visto. Arriba están la yerba, los gorriones, el huevo hilado...

DIEGO.   Tú me lo has dicho: tiene que ser así, es la ley; si yo salgo de un agujero, otro se tiene que meter en él. Yo estoy acostumbrado. No salgo, Paula. *(Se sienta.)* ¿No éramos los dos nuestro destino: tú el mío y yo el tuyo? ¿Por qué vamos a tener que buscar otro fuera?

PAULA.   Tienes que comportarte como un hombre.

DIEGO.   ¿Es que los de arriba van a exigirme ahora que me comporte como un hombre? Durante demasiado tiempo no me han dejado serlo. Se me ha olvidado ya.

PAULA.   Acuérdate del reproche que te hacían tus hijos. Ahora puedes darles tu nombre. Que se llamen igual que tú. Sal y dáselo.

DIEGO.   Se han ido. Se fueron. No están. No volverán. No se enterarían nunca.

PAULA.   No importa. Lo sabrás tú: eso es bastante.

DIEGO.   No. ¿Qué interés pueden tener ellos por llamarse Ramírez allí en el extranjero? Ya les da igual: eligieron. Yo también he elegido. Antes era a la fuerza, pero ahora he elegido.

PAULA.   *(Después de un instante.)* Está bien. No tengo otra salida que decírtelo. Si no quieres hacerlo por Agustín ni por Damián ni por Manuel, hazlo por otro más. Voy a tener otro hijo. Otro hijo tuyo.

DIEGO.   ¿Tú?

PAULA.   Sí, yo, ¿qué pasa? Estoy de muchos meses.

DIEGO.   *(Mirándola.)* ¿De cuántos?

PAULA.   De casi todos.

DIEGO.   Júralo por tu padre.

PAULA.   Lo juro.

DIEGO.   Por tu padre.

PAULA.   Por mi padre.

DIEGO.   Dilo todo junto.

PAULA.   Te lo juro por mi padre. Dale a éste, por lo menos, tu apellido.

174

DIEGO.   Un hijo... que va a nacer al sol[53].

PAULA.   Al sol y a las estrellas, Diego.

DIEGO.   *(Que comienza casi a saltar de gozo.)* Delante de los pájaros. Debajo de los árboles. Y yo podré defenderlo de todos, pegarle un cornalón a quien lo insulte, ciscarme en la madre de quien le toque un pelo de la ropa... Le enseñaré a subir a las ramas más altas... (PAULA *sonríe.)* Está bien. Ya sé que tendré yo que aprender primero... A coger nidos con mucho cuidado. A atravesar las calles mirando primero a un lado y luego a otro.

PAULA.   Primero a la izquierda y luego a la derecha.

DIEGO.   *(Que se va separando de ella.)* Ya lo sé. Le compraré un caballo.

PAULA.   *(Que va midiendo el efecto de su mentira y lo sigue.)* ¿De cartón?

DIEGO.   ¡Estúpida! ¡De carne!

PAULA.   ¿Y mi sombrero rosa?

DIEGO.   Tu sombrero, después.

PAULA.   ¿Y las gambas con gabardina?

DIEGO.   Después.

PAULA.   ¿Después de qué?

DIEGO.   No sé. Pero después. No digas tonterías.

PAULA.   ¿Vas a quererlo más que a mí?

DIEGO.   Sí. Por ti no hubiera hecho lo que hago por él. Por ti, me hubiera quedado contigo. Por él, voy en busca de mí. Quiero ser yo otra vez, resucitar: Diego Ramírez... También le enseñaré a beber un vaso de buen vino[54] por las tardes. Y a jugar al mus, que no es tan fácil.

PAULA.   A mí no me enseñaste. *(Con rencor.)* Te juro que hay noches en que me pregunto si hemos tenido alguna vez un hijo.

---

[53] De igual manera, en *Los buenos días perdidos* Cleofás dice que el niño nacerá en la pura calle.

[54] «Un vaso de buen vino», frase que Paula repetirá, es el último verso de la segunda estrofa de la «Vida de Santo Domingo de Silos» de Gonzalo Berceo (¿1195-1264?). La estrofa empieza «Quiero fer una prosa en román paladino...».

DIEGO.    ¿Y qué te contestas?

PAULA.    Nada. *(Acobardada.)*

DIEGO.    Haces muy bien. Me voy.

PAULA.    Aféitate antes. Das asco así. Van a creer que eres un bandolero de la sierra.

DIEGO.    No tengo tiempo. *(Descorre los ganchos de la trampilla.)*

PAULA.    Todavía no. Dime ese verso que me dijiste un día. El de la mona que se subía a un árbol, no sé a cuál...

DIEGO.    Lo olvidé.

PAULA.    Llévate el fusil, Diego. El que trajiste. Que tú no tienes licencia de armas. No vaya a ser que el demonio enrede las cosas... *(Se lo alcanza.)* Pero tienes que limpiarlo un poquito. Yo te traigo el aceite. O vinagre. ¿Qué es lo que quieres? O sal, lo que me pidas. Porque está impresentable. Y tienes que causarles muy buena impresión... Tú no sabes cómo son los de arriba. Yo, sí... *(Intenta retenerlo. Él se le escapa. Lo que sigue se dirá camino de arriba y mientras él sale.)* Hemos sido tan felices aquí, Diego... Tienes razón: ¿para qué intentar otras cosas? ¿Quién te ha dicho a ti que aquello va a ser mejor?... Déjame que te lave esa camisa. Está llena de mugre. ¿Qué pensarán de mí?... Diego, contéstame siquiera a una pregunta: ¿eres casado?... Diego, tú no los conoces. Déjame, por lo menos, acompañarte... Diego, tú no entiendes su lengua... *(Reacción final.)* Ya empiezas a no necesitarme, ¿verdad? Como un niño que ya ha aprendido a andar. ¡Egoísta! Ponte bien esos pelos... Arriba, tú vas a ser distinto. Yo voy a ser distinta[e]. Y los dos, distintos, nos vamos a volver a enamorar. *(Carcajada de la MADRE.)* Dime que sí, Diego *(Ha salido.)* Ten cuidado con esas vías. El pueblo queda lejos, a la derecha siempre... Di que sí, Diego. Aunque sea con la cabeza, pero dilo. *(Desolada, baja.)* ¡Ahora que íbamos a bailar! *(Al transistor.)* ¡Maldita sea! *(Carcajada de la*

---

[e] Falta esta oración.

MADRE. PAULA *tira el transistor.)* Es a él a quien voy
a dar a luz. Él es mi verdadero hijo. Pero cuánto dolor... ¿Por qué no chilla usté ahora, que es cuando
más falta hace? *(Risa.)* ¿Por qué no me dice usté
aquello de que una niña con pecas no puede hacer pucheros? *(Silencio.)* ¡Madre, madre!

MADRE.  ¿Quién te lo ha dicho?

PAULA.  ¿El qué?

MADRE.  Que soy tu madre. Es de noche, ¿no?

PAULA.  Amanecerá.

MADRE.  Uno se fue a tomar el sol hace treinta años.
Todavía lo estará esperando su mujer. *(Risa.)* Siempre
es de noche.

PAULA.  Le he engañado. No voy a tener ningún hijo...
No voy a tener nada... Él me mordisqueaba los bordes
de los pies, ¡auj, auj, auj!, lo mismo que un cachorro...[55].

MADRE.

> Desde pequeñita me quedé
> algo resentida de este pie.
> Y en el andar de Padres Carmelitas
> disimular que soy una cojita
> y si lo soy, lo disimulo bien.

PAULA.  Le lamía el vello del pecho. Como una vaca a
su becerro. Ya no volverá más.

MADRE.  He dicho que es de noche.

PAULA.  Sí. Páseme usté la mano por el pelo. *(Gesto de
apartarla.)* Un poquito, por Dios. ¿Qué trabajo le
cuesta? Sea usté quien sea.

MADRE.

> «Su marido ya está muerto.
> Nunca, nunca volverá.»
> La condesa, que lo supo,
> no cesaba de llorar.

---

[55] Paula empieza a repetir lo que su madre decía en el primer acto.

(DIEGO *aparece arriba.* PAULA *lo oye y corre a buscarlo y lo acompaña abajo.)*

PAULA.  ¿Estás aquí? ¡Estás aquí! ¿Eres tú!

DIEGO.  No.

PAULA.  Ha vuelto, madre. Tome usté condesa. Ha vuelto por mí.

DIEGO.  No. El sol no me dejaba ver. Hay demasiado sol afuera. Hubiera necesitado algún trapo negro... No podía andar. Me he caído tres veces[56].

PAULA.  ¿Tres?

DIEGO.  Sí.

PAULA.  ¿Y no te has presentado?

DIEGO.  No. Lo de arriba no es feo. Ni bonito. Da igual. No les importo. No me ha mirado nadie. Ni siquiera para descerrajarme un tiro y acabarme me han mirado. No hay nadie. Nadie...

PAULA.  Estás aquí. Has vuelto. No quiero saber más. Voy a prepararte tu vino y tu pan. Siéntate. Estás cansado. Tú no estás hecho a tanto trote. Yo te cuidaré. Yo te mulliré la cama. Yo te lavaré todos los días el cabezal de tu almohada. Yo te pondré mi nuca debajo de tu pie para que me la pises. Madre, ha vuelto por mí...

DIEGO.  Te he aborrecido siempre.

PAULA.  No importa. Lo que tú pienses no me importa. Bébete el vino. Toma: tabaco. Y música y pan bendito. Lo que pidas. Quédate. Nunca volveré a encontrar a nadie como tú.

DIEGO.  A nadie que dependa tanto de ti, ¿verdad? Eso quieres decir. A nadie que te necesite más. A nadie de quien tú puedas ser la sed y el vaso de agua. ¿No es eso?

PAULA.  Eso es. O no es eso, quizá. Pero quédate.

(DIEGO *le arroja el vino a la cara. Sin limpiarse,* PAULA *vuelve a llenar el vaso.)*

Tíramelo otra vez. *(Él se lo bebe.)* ¿Me quieres?

DIEGO.  Las piedras cortan arriba.

---

[56] Por la referencia a las tres caídas de Cristo, Gala nos prepara para el final trágico de la obra.

PAULA. ¿Me quieres?

DIEGO. Hay unos pocos árboles, pero muy lejos.

PAULA. ¿Me quieres?

DIEGO. Creí que iba a encontrarme con los gorriones nada más salir.

PAULA. ¿Me quieres? Di.

DIEGO. Me he hecho un desollón en la rodilla.

PAULA. Será el segundo que te curo. Te lo curaré con la lengua. ¿Me quieres?

DIEGO. Eres lo único que tengo.

PAULA. Por eso me has aborrecido. Te hubieran podido matar arriba, como a un tordo, antes de que te entregaras. O después, sin consentirte dar explicaciones. Como a un alacrán debajo de la piedra donde vive. La sangre, arriba, con el sol se seca pronto... Yo soy lo único que tienes, ¿a que sí?

DIEGO. Sí.

PAULA. *(Irguiéndose, cambiada.)* Pues vete entonces. Ve a presentarte arriba.

DIEGO. ¡No!

PAULA. Lo que ibas a hacer por un hijo, hazlo por mí. Ya no podemos seguir viviendo en este sitio. Hemos dicho demasiadas cosas: la verdad. No sería posible volver a empezar. No sería posible olvidarlo todo. Cuando tú te acercaras, yo te vería como ahora, diciendo lo que has dicho. Es necesario cambiar de madriguera. Vete. Aprovecha tu oportunidad.

DIEGO. ¡No!

PAULA. ¡Ve! Te presentas y vuelves por mí. Porque me quieras, no porque me necesites.

DIEGO. He vuelto. ¿No tienes ya bastante?

PAULA. No. Ya no. Poco a poco vamos queriendo más, según nos lo van dando. Ponte de pie. Toma el fusil.

DIEGO. *(Sin querer cogerlo.)* No. Eso, no. Eso sí que no.

PAULA. Toma el fusil. O voy yo arriba y te denuncio. Diré que acabas de llegar. Soy amiga del guarda. Muy amiga. A ti no te creerán. Yo conozco a los inspectores. Tú ni siquiera existes. Vete.

DIEGO. Déjame rezar.

PAULA.    Reza deprisa.

DIEGO.    *(Arrodillado, nerviosísimo.)* Dos por dos, cuatro. Dos por tres, seis. Dos por cuatro, ocho. Dos por cinco, diez...

PAULA.    ¿Dónde has aprendido esa oración?

DIEGO.    En la cartilla.

PAULA.    Es muy rara. Pero Dios la entenderá. Es su oficio. Levántate. Ya es hora.

DIEGO.    *(Mientras ella va diciendo que no con la cabeza.)* Déjame limpiar el fusil. Déjame afeitarme. Déjame mudarme de camisa... Yo te quiero.

PAULA.    Para decir «Yo te quiero», tienes que decir primero «Yo».

DIEGO.    Yo.

PAULA.    Así, no.

DIEGO.    *(En muchos tonos.)* Yo, yo, yo, yo...

PAULA.    No. Tienes que decirlo arriba, no aquí. Tienen que dejártelo decir primero los de arriba.

DIEGO.    Acompáñame tú.

PAULA.    No. A esos lugares tiene que ir uno solo. Yo estaba equivocada. Se acabaron los cómplices. Tengo que recoger. Tengo que limpiar. Tengo que peinarme. Tengo que beberme «un vaso de buen vino»[57], ¿verdad, madre? *(Risa de* MADRE.*)* No puedo.

  *(*DIEGO *avanza, casi empujado por* PAULA. *Sube los primeros peldaños.)*

Esta es nuestra manera de querernos. No la hemos elegido y no tenemos otra. *(Le da un último impulso.* DIEGO *tropieza. Pisa la correa del fusil. Un disparo. Se lleva la mano al pecho. Mira en silencio a* PAULA *y cae muerto, con medio cuerpo arriba y medio abajo.)* ¿Por qué? ¿Por qué? ¿Por qué?[58]. *(Sacude enloquecida el cadáver de* DIEGO.*)* ¿Y nuestros veintisiete años? ¡Dilo! ¡Dilo!

---

[57] Por la puntuación, Gala indica aquí que las palabras de Paula, que repiten las anteriores de Diego, son efectivamente una cita de Berceo.

[58] Paula repite aquí las primeras palabras de la Madre en el primer acto.

TOMÁS. *(Que aparece apresuradamente arriba.)* ¿Qué ha sucedido, Paula? ¿Quién es ese hombre?

PAULA. ¡Nadie! ¡Este hombre no es nadie! ¡Nadie! ¡No vuelvas más! *(Arrastra el cadáver de* DIEGO *hacia abajo. Cierra el doble gancho de la trampilla.* TOMÁS *se va retirando lentamente.)*

MADRE. Ciérrale bien los ojos.

PAULA. *(En un alarido.)* ¡No! ¡No! ¡No!

MADRE. *(Sobre ella, tapando sus gritos.)*

Antón, Antón,
Antón Perulero.
Cada cual, cada cual
que atienda a su juego.
Y el que no lo atienda
pagará una prenda.
Antón, Antón,
Antón Perulero...[59].

*(Va cayendo el telón, lento e indiferente.)*

---

[59] Según Torner, el juego y la rima de Antón Perulero eran ya conocidos en el siglo XVIII. En el juego infantil, cada niño imita las actividades de cierto oficio y, cuando lo desea el jefe, tiene que cambiar y hacer otro papel. (Véase Shirley L. Arora, *Proverbial Comparisons and Related Expressions in Spanish.* «Folklore Studies: 29». Berkeley, Los Ángeles y Londres, University of California Press, 1977. pág. 61.) La Madre indica aquí que ahora le toca a Paula el papel que hacía aquélla, es decir, la mujer que enloquece ante la muerte del amante.

*Petra Regalada*

*Petra Regalada* es la historia de un ser humano, o de muchos seres humanos: quizá de demasiados. Se trata de una vida, límite en apariencia, donde —como en todas, en mayor o menor grado— hay amor y desamor, corrupción y purificación, júbilo y catástrofe.

No soy yo quién para explicar mi obra. Su entendimiento —siempre sucede en el teatro— estará en manos de quienes la reciban. Su fruto, si ha de darlo, también.

En *Petra Regalada* pueden personificarse ideales, traiciones, fracasos y proyectos. Petra, lo mismo que cualquiera de nosotros y lo mismo que el pueblo que entre todos formamos, se mueve entre la memoria y la profecía, entre el recuerdo y la esperanza.

No creo que se trate de una pieza ambigua, pero sí de una pieza abierta. El arte no tiene por qué ser inequívoco. Si así fuera, no necesitaría yo pedir lo que desde aquí pido con ahínco: la colaboración de los espectadores.

De ellos dependerán las conclusiones que surjan a partir de esta historia, risible y anhelante, de *Petra Regalada*. Que, en cierta forma, es una historia individual y, en cierta forma, una historia común; pero que acaso nunca pudo —o podrá— suceder en otra parte que en España.

ANTONIO GALA

## PERSONAJES

Petra                   Don Moncho
Don Bernabé             Arévalo
Mario                   Tadeo
Camila

## ESCENARIO

Un espacio que podría ser la celda prioral de un convento de clausura, construido vagamente a caballo entre el XVII y el XVIII. Pero ahora aparece enmascarado, como un burdel de lujo de principios del XX: terciopelos abullonados rojos, una chaise longue, una mesa de juego, extraños maceteros, una pecera grande, ventanales que dan desde el nivel superior al jardín, un mueble-bar bastante moderno, un gramófono de bocina, una cómoda de panza, floreros, candelabros, una serie de fotografías de caballeros difuntos... Es decir, el perturbador resultado de una meticulosa y constante decadencia.

## ACTO PRIMERO

PETRA *está en un sillón frailero un poco en alto, como entronizada, vendados los ojos con un largo pañuelo. Los viejos secretean y se ríen bajito.* CAMILA *hace juegos con sus naipes y murmura cosas inaudibles, ignorando absolutamente lo que sucede a su alrededor. A una orden de* DON MONCHO[1], ARÉVALO *se acerca a* PETRA *de puntillas y la besa con grandes aspavientos de disimulo.*

PETRA. ¡Uh! Un besito con la punta de la lengua en la comisurita. Qué asco. Otra vez. En donde se acaba la boca, como si no se atrevieran a entrar... *(*ARÉVALO *repite su gesto,* PETRA *ríe.)* Qué asco. Otra vez. *(*ARÉVALO *obedece. Luego se aparta de puntillas.)* Un sinvergüenza que quiere hacerse pasar por ti, Don Monchito. Ésa es tu especialidad: amagar y no dar.

CAMILA. Un as.

BERNABÉ. *(Levantándose, alrededor de* PETRA.*)* Camila te está dando pistas con las cartas.

MONCHO. *(A* CAMILA.*)* ¡Chss!

PETRA. Si lo que quiere esa pécora es trabucarme. *(Manoteando en el aire, roza a* ARÉVALO *en las bajeras. Con picardía.)* ¡Lo toqué! y el as de bastos no era. Ha sido Arevalillo.

ARÉVALO. *(Mientras se aleja de ella).* Ya ajustaremos cuentas, descarada.

---

[1] *Moncho:* diminutivo de Ramón.

PETRA. ¿Era Arévalo o no?

MONCHO. Hasta el final no te lo decimos. Otro acertijo. *(En silencio ordena a* ARÉVALO *que se vuelva a acercar.)*

CAMILA. Mala suerte. Un caballo de oros con las patas cortadas.

MONCHO. ¡Chitón!

PETRA. Otra cosa les cortaba yo a tus caballos... (ARÉVALO *empieza a besarla por el cuello.)* Mira el suave éste, por el escote abajo. Me voy a resfriar con tantas humedades. A ver, a ver[a]: me lame la puntita y yo como si oyera llover, indiferente. Claro, porque lo tuyo será otra habilidad. Juro que no me entra ni un rayo de luz; pero es Arevalillo otra vez... (DON MONCHO *sustituye a* ARÉVALO.) Y ahora por la oreja, ¿no te digo? *(Carcajada),* la Academia de la Lengua. Se me van a meter por todas partes. Ha sido..., ha sido..., ha sido...: Don Bernabeeeeeeeé.

MONCHO. *(Triunfal.)* ¡Te colaste! Fui yo.

PETRA. *(Quitándose el pañuelo.)* Pues, Don Monchito, hijo, se te está poniendo la muy estropajosa y áspera como la del notario. Lija del ocho. Vas de mal en peor: tú, sin lengua...

CAMILA. *(Solemne.)* Un rey de oros y un rey de copas.

MONCHO. ¿Y qué?

CAMILA. Frente a frente los dos. Y una sota de espadas que corta por lo sano.

PETRA. Mal se va a ver la incauta, porque aquí lo que se dice sano ya no hay nada. Más lacia está la cosa que un churro a media tarde.

MONCHO. Un día te cortaré la lengua.

PETRA. Qué suplicio. Incorrupta se quedaría como la de una santa. Y no sería la primera que cortaras.

MONCHO. *(Le da una bofetada.)* ¡Se acabó! ¡Consentida! Que te sales del tiesto y le hablas de tú a la Providencia.

---

[a] ¡Huy!

BERNABÉ.  Hace tiempo que deberíamos haber traído a otra Petra Regalada.

PETRA.  Cuando os salga del quirie[2]. Pero, mientras tanto, en esta casa no se bebe más. *(Va a retirarles las copas.)*

MONCHO.  Deja esas copas ahí.

PETRA.  No quiero.

MONCHO.  Que las dejes. *(Un instante de tensión. PETRA deja las copas.)*

PETRA.  *(A CAMILA.)* ¡Cállate tú!

CAMILA.  Yo no he abierto mi boca.

PETRA.  Pues por eso.

CAMILA.  Las feas sufren menos que las que han sido guapas.

PETRA.  *(Dándole una bofetada.)* Te dije que te callaras.

CAMILA.  Pégame, pégame. «Como te ves, yo me vi; como me ves, te verás»[3]. La vida, al principio, es ir perdiendo un gusto cada día. Luego es ir recibiendo cada día una coz. Pronto te enterarás.

ARÉVALO.  ¿Qué murmura esa cotorra?

PETRA.  No sé. Siempre está hablando sola.

CAMILA.  Mentira. La que habla sola es Petra Regalada, porque yo no la escucho. Pero yo, no; yo hablo conmigo porque a mí sí me escucho.

PETRA.  Hablemos solas o no, desengáñate: somos unas desdichadas. Con estos depravados, ay Dios mío... Unos mean en caldera y no suena, y otros en lana y truena[v]. Qué quinario. Anda, a beber hasta que os salga el aguardiente por el pitorro. *(A CAMILA.)* Y tú bebe también, empapadera, muletona, a ver si acabas poniéndole franqueo a esas cartitas.

---

[v] y otros mean en lana y atruena.

[2] *Cuando os salga del quirie:* eufemismo de un vulgarismo coloquial; aquí significa «cuando os dé la gana».

[3] Las palabras de Camila recuerdan los cuadros de «vanitas» que hacen notar lo fugaz de la vida terrena y el fin de las glorias del mundo, sobre todo las calaveras, con el lema «Lo que eres, fui. Lo que soy, serás.»

CAMILA.  Si yo no vaticino por las cartas, emperadora. Muchas veces me confunden con tanta algarabía: tengo que no mirarlas ni escucharlas. Yo acierto porque, a mi edad, todo lo que sucede, sucede por segunda o tercera vez.

MONCHO.  *(Condescendiente.)* Sé dócil, Petra Regalada. Y ven. A mí lo que me gusta es la camaradería.

PETRA.  ¿Y qué entiendes tú por camaradería, Don Moncho? ¿Que cuatro camaradas te lleven a la sillita de la reina? Hay que jorobarse contigo. Venga un vaso. Y toma tú otro, Camila Camilona [4]. *(Bebe de un trago. Chasca la lengua.)* Yo apenas bebo aún, pero a esta marcha, en un añito o dos acabaré bebiendo.

BERNABÉ.  ¿Vas a comprarte el olvido por fascículos, o a plazos, como si fuera un electrodoméstico?

CAMILA.  *(En las cartas.)* Un caballero joven se lleva a la sota de espadas a la grupa.

ARÉVALO.  Qué trabajera.

BERNABÉ.  ¿Rubio o moreno?

PETRA.  Si no lo dice por vosotros, Don Bernabé. Vosotros ya no tenéis color. Lo único que os queda es ser un poco limpios. A lavarse las manos el que quiera tocarme. ¿Era verdad lo de ese caballero? (CAMILA *ni la oye.)* ¿Cuándo aparecerá: pronto o cuando ya no haya remedio?

CAMILA.  *(Juntando las cartas.)* No he visto nada. Y además, ya no hay remedio.

PETRA.  Bucanera, berganta. *(Bromeando, se bebe el vino de* CAMILA.*)*

CAMILA.  *(En vidente.)* El que sea, está en camino: volando viene.

PETRA.  No me asustas.

CAMILA.  Más te valía asustarte.

ARÉVALO.  ¿Hace una partidita, amo? *(Va a coger las cartas de* CAMILA.*)*

---

[4] La repetición del aumentativo del nombre tiende a mostrar cariño. Compárese la burleta «Carmen, Carmona, / que por un ochavo / baila la mona» (Gil, *Cancionero infantil,* pág. 42).

PETRA. *(Arrebatándoselas.)* Con esas, no. Estarán marcadas. Toma. *(Le da otro mazo. Mientras MON-CHO reparte y juega, busca en el de CAMILA. Saca una carta. A CAMILA.)* Era éste, ¿no? El de siempre, ¿no?

CAMILA. Ya no me acuerdo. *(Haciéndose la desentendida.)*

> Debajito del puente
> sonaba el agua.
> Eran las lavanderas, las lavanderas.
> ...Cómo sonaba[5].

PETRA. *(Va a dejar el pañuelo en un cajón de la cómoda.)* El caballero de siempre habrá sido. No puede ser otro. *(Saca una colcha blanca, bordada del mismo cajón.)* Ay, qué ganitas tengo de escuchar su galope... Caballo, caballero, con capa y sombrero, ¿cuántas estrellitas tiene el cielo?[6].

MONCHO. Tres mil quinientas doce. Y todas tuyas, Petra Regalada.

BERNABÉ. *(A ARÉVALO.)* ¿Juega usted o participa en esa astrología?

PETRA. Tengo el corazón con el albarán puesto, igual que una casa en alquiler. Yo me voy a morir o lo que sea de estar aquí sola.

CAMILA. Haberte ido en su momento.

PETRA. *(A CAMILA.)* Pero, ¿a dónde? Las manos de esta gentuza son muy largas. Me hubieran encontrado. *(A ellos.)* ¿A qué sí? Ya vendrá en busca mía. *(Acariciando la colcha e imitando un galope.)* Tacatá, tacatá, tacatá.

---

[5] Gil, en su *Cancionero infantil,* incluye como última estrofa de «Chiriviri», canción de la provincia de Badajoz, estos mismos versos (pág. 58). Aunque no tanto como en *Noviembre y un poco de yerba,* el dramaturgo introduce canciones y juegos infantiles en *Petra Regalada* y en la representación madrileña de *La vieja señorita del Paraíso* intercalaron tales canciones entre escenas.

[6] Otra conocida canción popular.

BERNABÉ.   Ni que fuera[v] el caballo de Pavía[7].

PETRA.   Me volveré a llamar Dolores... Se sufre mucho con el nombre de Petra Regalada. Yo estoy deseando llamarme Dolores.

CAMILA.   No sabes lo que dices, desquiciada[8]. No sabe lo que dice, Señor, perdónala.

ARÉVALO.   Tú eres la Petra Regalada. ¡Y sirves vino!

PETRA.   Yo soy...[e] *(En un tira y afloja con la botella, mancha la colcha.* PETRA *se queda, trágica de pronto, mirándole.)*

CAMILA.   Vaya por Dios, lo que faltaba.

ARÉVALO.   No te pongas así mujer.

MONCHO.   *(A* PETRA.*)* Eso se lava.

PETRA.   Todo se lava menos esto. La única felicidad que recuerdo en mi vida está aquí escrita. Los años en que todo era esperar. La colcha de mi boda, qué lástima. Cientos de noches, bordando para una sola. Terminada. Sólo le falta la inicial de mi amante[9]. Infeliz. Aquí.

CAMILA.   Sí, lo que más interesa, como siempre. Ya me dirás para qué sirve una colcha con una inicial sola.

PETRA.   Pensar que ahora habrá niñas de quince años, como yo entonces, sonriendo como yo entonces, esperando a un novio... Que se casarán[v] dentro de poco... Y yo, no.

MONCHO.   No sé por qué le tienes una devoción tan tonta a una cosa tan tonta: si la bordaste en la Inclusa, de inclusera.

CAMILA.   Y aquí. Cuando llegó y me quitó el sitio de Petra Regalada, la seguía bordando. Qué ofuscación. Taza y sopa no caben en la boca.

---

[v]   fueses.

[e]   faltan las dos palabras de Petra.

[v]   acercarán.

[7]   Manuel Pavía, general español (1827-1895).

[8]   Como se ha explicado en la Introducción, para Gala el nombre de Dolores es atroz. Así la reacción de Camila puede tener un doble sentido.

[9]   Repárese en la semejanza con los recuerdos de adolescencia de Paula en *Noviembre y un poco de yerba.*

PETRA. No tenía otra cosa que esperanzas.

BERNABÉ. Y, ¿no se te han cumplido?

PETRA. Sí, don Bernabeeeeé. Todo se me ha cumplido. Qué casualidad, ¿eh? Todo, menos lo que esperaba. En mi testamento lo tengo dicho...

BERNABÉ. Infundios. No has testado. En mi notaría no consta.

PETRA. Pero voy a testar cualquier noche: que me amortajen con mi colcha. Qué vida, Dios. Qué vida más sosa. Ahora mismo me voy a tumbar en cueros debajo de la lámpara de cuarzo. Porque me tengo que poner morena.

MONCHO. *(En el juego.)* Salga usted, Bernabé.

PETRA. *(Levantando a DON BERNABÉ.)* Bernabé, salga usted que lo quiero ver bailar, saltar y brincar y andar por el aire. Que la baile, que la baile[10].

BERNABÉ. *(Defendiéndose.)* Déjame, pero déjame.

PETRA. Yo creo que nací con un defecto muy grande. Yo creo que nací muerta.

ARÉVALO. Pero, ¿qué te falta?

CAMILA. Nada.

PETRA. Por eso.

BERNABÉ. Cámbiate de ropa y te distraes.

PETRA[a]. Dame una mantilla. Camila, hazme el favor.

CAMILA. Al punto. *(Sale.)*[e]

PETRA. Hace meses que nadie me regala ni un metro de puntillas. Como a las negritas me tienen: sin un duro. Qué desgraciada soy. Aquí mucho prometer *villas y castillas,* y nadie se gasta dinero en arreglarme este casulario[11], que se me está viniendo encima a desconchones. Debajo de las telas todo es ruina y escombro. ¿Dónde irán a parar las rentas de las Petras Regaladas? *(PETRA ha sacado de la cómoda una peineta y se la ha puesto en la cabeza. Entra CAMILA con una man-*

---

[a] Para pasar modelos estoy yo.

[e] Falta esta acotación.

[10] Canción de baile generalmente conocida hoy en España y que se remonta al siglo XVI. (Véase Torner, *Lírica hispánica,* págs. 339-341.)

[11] *Casulario:* Casa abandonada o desatendida.

*tilla negra.)* [v]. Ésa no, leche. Ésa es de [v] visitar los monumentos. ¡Una blanca!

MONCHO. *(A* ARÉVALO *que juega con otro palo.)* Pintan oros.

ARÉVALO. Perdone, amo, es que estoy distraído.

MONCHO. Segundo aviso. O atiendes o no juegas.

ARÉVALO. Es que estoy distraído.

BERNABÉ. Y reiterante.

ARÉVALO. El hijo de la Pacuca.

MONCHO. ¿Qué le pasa?

ARÉVALO. Que ha vuelto a cazar en el coto de usted.

MONCHO. Me salió un socio.

PETRA. *(Que ve llegar a* TADEO, *un oligofrénico de quince años.)* Ay, el rey de la casa. *(Lo acaricia, como si fuese un niño chico.)*

ARÉVALO. Dice que no tiene su madre por qué pasar hambre habiendo conejos en el monte.

MONCHO. ¿Y qué le has dicho tú?

ARÉVALO. Le hemos dado una somanta y está en el calabozo.

MONCHO. *(Recoge cartas.)* Gano yo.

PETRA. Bonito. Cuánto barro, Tadeíllo. Y qué pelos.

ARÉVALO. Lo acompañaban sus primos, los del Cojo. Trabajo nos ha costado reducirlos, porque se insolentaron.

BERNABÉ. No hay nada que más cunda [v] que los malos ejemplos.

ARÉVALO. En el calabozo están desde ayer.

MONCHO. Corta el asunto de raíz. Nada de darle más hilo a la cometa.

ARÉVALO. Pero, ¿cómo?

MONCHO. *(Tajante.)* ¡Cortando, Arévalo! No te he puesto donde estás para que descuides lo mío. La gangrena no se cura con agua de colonia.

---

[v] Por evidente equivocación, en *V* esta acotación aparece antes, cuando Petra sigue hablando de la colcha.

[v] la de.

[v] cunda más.

BERNABÉ.   Ni a palos, por lo visto. Contra malos ejemplos, un ejemplo ejemplar.

MONCHO.   ¡Conforme! Tú los sueltas hoy mismo. Desde mañana, al que te encuentres cazando en mi terreno, dos tiros y a otra cosa. Para eso están las leyes y los guardas.

PETRA.   *(A* TADEO, *con el que está ajena al juego.)* Un beso, dame un beso... Huy, qué legañona. *(Lo limpia.)*

ARÉVALO.   *(Servil.)* De acuerdo, señor. Yo era el permiso lo que necesitaba[12].

MONCHO.   Ya lo tienes. ¿Quién da?

BERNABÉ.   *(Servil.)* Me tocaba a mí, pero dé usted mismo, Don Moncho.

ARÉVALO.   Ahí está el idiota.

BERNABÉ.   Al tonto y al aire se les deja en la calle[13], Petra.

ARÉVALO.   Dale un caramelo de menta que se le ponga la cosa contenta.

MONCHO.   Llévatelo o lo echo a patadas. *(Huye* TADEO.)

PETRA.   Te guardarás de rozarlo como de mearte en la cama. Que además es lo que mejor haces en ella. ¡Patadas a mi niño!

BERNABÉ.   Ya se habrá metido en el establo.

PETRA.   Donde vosotros deberíais estar. *(Por la ventana.)* Mi mula y yo somos lo único que quiere, padre mío. Por la noche va a dormir al pesebre y se abraza a la mula Dorotea[14] y se le oye llorar bajito, bajito.

MONCHO.   Así huele tu cama a mula algunas veces.

PETRA.   Cuando tú te bajas de ella.

ARÉVALO.   Para qué te servirá la mula si tienes prohibido poner un pie en la calle.

---

[12] El orden de colocación aquí es típicamente andaluz. Más normal: Lo que yo necesitaba era el permiso.

[13] Dicho popular.

[14] Si Moncho es un nombre poco digno para un gran cacique, Dorotea es un nombre bastante elegante y poético para una mula. Se asocia con la heroína de la comedia pastoril de Lope de Vega y con el personaje en el Quijote. El intento cómico de Gala queda claro.

PETRA.   *(Busca en un cajón.)* Para pasear por mis domi-
nios: en mi silla moruna, con mi sombrilla abierta, como una gran señora, que es lo que soy... *(Saca del cajón una moña de cintas. La enseña por el ventanal.)*
Tadeo, Tadeíllo, corazón, ven aquí. Toma. *(A su re-
clamo entra el niño curioso. Coge la moña, la mira, la
huele, la prueba con la lengua, luego la tira con un
gruñido.* PETRA *ríe.)* Qué lindo eres. *(El niño lleva ata-
da una especie de hucha de hierro a la espalda.* PETRA
*se la desata y la deposita sobre un mueble.)* Mira, mira
cómo llevas el zapato, con el cordón a rastras. *(Va a
atárselo.* TADEO *la rehúye.)* Ven, Tadeo. *(Lo persigue.)*
MONCHO.   No hagas más el oso, Petra.
PETRA.   De alguno de vosotros es familia.
BERNABÉ.   Ya salió la cantilena.
ARÉVALO.   ¡A la inclusa!
PETRA.   *(Plantando cara.)* De ella me trajisteis. Y no
irá nadie a ella mientras esté yo viva. *(A* TADEO, *que
se le ha acercado al oírle elevar la voz.)* Ojalá fueras
hijo mío: no hubieses aparecido en un estercolero, ni
te hubieras mantenido con troncos de berza. Cuando
me enteré que este hijo de Dios —de Dios y desgracia-
damente de alguien más— estaba en el mundo, ya era
tarde. *(A* TADEO, *por el zapato.)* Deja que te lo ate.
Tres añitos tenía y llegó hasta la puerta de la casa arras-
trándose como un caracol. Desde ahí lo vi yo, comiéndose a puñados la tierra y la cal de los muros. Ay, qué
piececillo tan sucio... *(Le coge el pie para atarle el
zapato)...* y tan sufrido, mi alma... Cuanto barro, Tadeíllo[v]. *(*TADEO *retira el pie.)* Bueno, luego. Luego nos
lavaremos. *(Él tira, el cordón se rompe.* PETRA *ríe. Se
quita una cinta del pelo.)* Con esto. Así, ¿ves? Un pri-
mor. *(*TADEO *parece alegrarse. Ella lo mira extasiada
desde abajo.)* Qué lindo es. *(Como en juego,* TADEO *la
empuja.* PETRA *se cae riendo.)*
ARÉVALO.   Hay que ver qué partido le está sacando a
un tonto.

---

[v] En *V* esta oración precede a la frase anterior.

PETRA. *(Ante casi un mugido de* TADEO.) Claro que tienes hambre, corazón, si te has pasado el día con un vaso de leche y una torta. *(A* CAMILA.) Camila, Camila. Qué desmadradas somos, hija. Nos descuidamos en lo más importante. Dale un trozo de pollo. Pero no en un plato que no le gusta. Dáselo en un papel de estraza. (CAMILA va a salir). (A TADEO, *que sale tras* CAMILA). Comer, comer. Qué lindo es. Comer. *(Se queda viéndole salir con una sonrisa en los labios. Se vuelve a los otros. Cambio de expresión.)* Qué tres fachas.

MONCHO. Pues ya nos contarás.

PETRA. *(Por* TADEO.) Lo que tengo: eso es lo que tengo.

ARÉVALO. Mucho no es.

PETRA. La única criatura de este mundo para quien soy imprescindible.

MONCHO. Y para los que piden cosas en esta hucha, también.

PETRA. Para esos soy una intermediaria.

BERNABÉ. Al idiota lo quieres como a un perro.

PETRA. *(Intensa.)* Todo lo que una mujer quiere de verdad —un perro, un hombre, Dios, cualquier cosa— lo quiere como a un hijo. Usted no sabe de eso.

BERNABÉ. Ni tú.

PETRA. Mira, tú vete a prevaricar a tu oficina y déjate de sentimientos femeninos. Primero aprende cómo quieren los hombres. *(Abriendo la hucha.)* Vamos a ver qué piden[a] los pobres.

BERNABÉ. Otro caprichito que va contra las normas. Las solicitudes siempre se depositaron en el torno que hay a la entrada. Eso garantizaba su secreto y permitía introducir delaciones y denuncias muy valiosas. (PETRA *hace una pedorreta.)*

MONCHO. Después de un par de siglos de subordinación, a nadie se le ocurre hacer nada que merezca la pena denunciarse, ¿no, Arévalo?

---

[a] hoy.

ARÉVALO.   Yo, como alcalde…, lo que usted diga, Don Moncho.

MONCHO.   Además, un tonto asusta menos a un pueblo que la boca de un torno: el tonto es cosa suya. No fue mala la idea de Petra Regalada. Queda bonita su postura de mediadora invisible. Un idiota hace de recadero; ella nos eleva las súplicas y nosotros las concedemos o no, generalmente no: es un orden jerárquico impecable.

BERNABÉ.   Visto así… ¡Cómo es este Don Moncho! El que quiera metérsela doblada[15].

MONCHO.   ¿Cómo?

BERNABÉ.   Doblada… Huy, perdón.

PETRA.   Hubo malas cosechas, la gente está empeñada. Ya veis que ni un mendrugo de pan le han dado hoy a Tadeo. Mío no es el dinero, pero ya que aquí no hay justicia, que tampoco haya hambre.

MONCHO.   *(Entre molesto y halagado.)* Ya estamos: Nuestra Señora de los Muertosdehambre. *(Se comienza a oír un galope de caballo.)*

PETRA.   Sí, señor, sí. De los Muertosdehambre. Más cerca me siento de ellos que de vosotros. Si pudiera, esas puertas abiertas estarían. Adelante, que cada cual cogiese lo que le falta y dejase a los demás coger también. Porque con el sudor y el cariño de sus abuelos se hicieron estos muros. Para nosotras, sus Regaladas, los hicieron. Y lo que hay dentro es de ellos. Que no es bueno ni conveniente para nadie —a la larga para nadie, ¿eh?— que unos se coman la tajada y otros la vean comer.

BERNABÉ.   El fervorín de los martes. Todas las demagogias reunidas.

CAMILA.   *(Entrando.)* ¿Alguno de los señores ha citado en esta casa a un forastero?

*(Gesto de asombro de todos. Los viejos dicen, al mismo tiempo,* Qué disparate, ¿a un forastero aquí?

---

[15] La expresión coloquial «metérsela doblada» significa «engañar a alguien»; es una referencia al acto sexual.

¡Estás loca! *Vemos, con los ojos de Petra, que una luz rosada inunda la escena desde el lugar que ocupa Camila: la luz que iluminará frecuentemente al personaje que veremos. Tras de* CAMILA *venía* TADEO, *que cruza hacia* PETRA. *Una mano fuerte aparta a* CAMILA. *Aparece y se adelanta* MARIO: *sonriente, seguro, joven. Mira de uno en uno a todos los presentes.* PETRA *enlaza, maternal, a* TADEO *que, como siempre que se cree no observado, la mira con un arrobo casi animal.)*

MARIO.    Buenas noches. Pensé que estarían casi todos reunidos aquí. Me refiero a los más... principales, a los que suele llamarse, a veces sin razón, fuerzas vivas. Y no me equivoqué. Precisaba entrar en contacto con ustedes cuanto antes... No, no se miren: no me conoce nadie. Soy forastero, más forastero quizá de lo que ha dicho ella. *(Por* CAMILA.)

MONCHO.    Aquí nadie más que los hombres[v] de la Junta de la Hermandad de San Pedro Regalado puede entrar. Si quiere hablarnos, fuera.

MARIO.    Es que me interesa que me oigan todos.

PETRA.    ¿Yo también?

MARIO.    Todos, señora. Y todos van a oírme.

*(En efecto, los mira a todos de uno en uno. Hay diversas reacciones. El grupo de* PETRA, CAMILA *y* TADEO, *misteriosamente, ocupa la posición que tendrá al final de la pieza, con gestos semejantes. Un descenso de luz sin llegar al oscuro)*[16].

PETRA *mira por un caleidoscopio, de tamaño algo superior al normal.* DON BERNABÉ *está tomando una taza de café. Entra* ARÉVALO.

BERNABÉ.    ¿Qué?

ARÉVALO.    Dicho y hecho. En tres días, con carita de no romper un plato, ha trastornado[v] al pueblo.

---

[v] miembros.
[v] transformado.
[16] Pasan tres días durante el oscuro.

BERNABÉ. *(Para sí.)* Pero, ¿a qué habrá venido en realidad?

PETRA. Si os lo ha dicho. De aquí era su familia, ¿por qué no lo creéis? [17].

BERNABÉ. En este país nadie dice la verdad sin que le obliguen. Tendría que estar loco.

PETRA. Puede que lo esté: a mí, por lo pronto, me llamó señora. *(Queda más pendiente de la conversación de lo que parece.)*

ARÉVALO. Lo más sencillo sería deshacerse de él.

BERNABÉ. *(Razonando.)* Demasiadas versiones. El arcipreste, que es un representante del obispado. El delegado de Agricultura, que es viajante de una casa de abonos alemana. Tú, que es un [v] comisionado de la Junta del Censo.

ARÉVALO. Quitárselo de encima: más vale un por si acaso que un quién pensara.

PETRA. Qué colores. Gloria da verlos. Así tenía que ser el mundo.

BERNABÉ. Me escaman tanta charla con los trabajadores y tanto randebús con los parados... Pero, ¿y si los tiros no van por ahí?

ARÉVALO. Por si sí o por si no, con uno se achicharra al infrascrito y a tomar por saco los misterios.

MONCHO. *(Entrando.)* Nada de achicharrar... de momento. Buenas tardes. *(Con un gesto hace volver a sentarse a los otros dos, que se han levantado.)* He estado recapacitando. Si viene para husmear ese invento de las fincas insuficientemente cultivadas, pongo por caso, más vale comprarlo que eliminarlo. Hay que tener certeza.

BERNABÉ. A mí me cabe otra duda: que sea el delegado de una de esas multinacionales o que pretenda montar una sucursal aquí —o hasta una central, vete a saber—. Entonces, lo prudente sería conquistárselo.

---

[v] que un.

[17] En este sentido Mario se parece a Juan en *Los verdes campos del Edén,* quien también regresa al país de su familia.

ARÉVALO.   ¿Una central nuclear dice usted?

BERNABÉ.   No indispensablemente, Arévalo: una central lechera, por ejemplo, o una fábrica de coches, o una depuradora.

MONCHO.   Una depuradora, ¿de qué?

PETRA.   *(Con su caleidoscopio y atenta al mismo tiempo.)* De lo que sea. Pues sí que no hay aquí cosas qué depurar[v].

MONCHO.   Tú a tu catalejo. Y ponme un café. Este cochino pueblo siempre viendo fantasmas a diestra y siniestra.

BERNABÉ.   Porque los hay, Don Moncho.

PETRA.   Los fantasmas existen en cuanto los tememos: no necesitan más. Como los celos, que no necesitan motivos. Si los tienen[v] no son celos, con cuernos. Los fantasmas, en cuanto los tocamos, se llaman enemigos... Tres días llevo preguntándome si no seremos nosotros los fantasmas.

MONCHO.   ¿Es que ha vuelto? ¿Lo has visto?

PETRA.   *(Afirma.)* De lejos, desde la torre... Tadeo lo recibió con recelo. La noche que llegó se pegaba a mi falda. Desde entonces, lo sigue a escondidas, pero lo sigue. Es raro... Y él lo sabe, porque se vuelve con disimulo, de cuando en cuando, para asegurarse.

BERNABÉ.   *(Teniendo una idea.)* ¿Por qué no se lo largamos a Petra? Podría parlotear, interrogarlo, hacerse la tonta...

PETRA.   Soy la tonta.

BERNABÉ.   ... hasta enamorarle un poco. Es una de las funciones de las Petras Regaladas. Averiguaría ella más en un rato que los guardias de Arévalo en tres meses.

PETRA.   Tampoco es un piropo. Porque hay que ver los guardias.

ARÉVALO.   Si mis subordinados tuvieran lo que se llama libertad de acción les diría yo a ustedes. Lo que

---

[v] apurar.
[v] tienes.

sucede es que se deben a causas superiores que los tienen maniatados y amordazados.

BERNABÉ.  Sí, una gloria de guardias.

MONCHO.  *(A* DON BERNABÉ.) No se pierde nada por tantear. Por mí adelante. Qué alguien vaya a buscar a ese hombre.

PETRA.  Eso daría que hablar. ¡Un hombre aquí...! Lo haré yo. Como si no me lo hubierais mandado. Más, como si me lo hubierais prohibido. *(Comienza a mimar una escena mientras la luz va descendiendo.)* Lo llamaré desde la torre: «Chis, chis.» Él volverá la cara, alzará los ojos, sin saber quién lo llama. Yo moveré el pañuelo. «Aquí, aquí arriba.» Por fin me encontrará. «Ah, ¿era usted?» «¿Quién quería usted que fuera? ¿Le apetece tomar un cafelito?» «¿Solos?» «O con leche, como lo prefiera.» «Encantado.» «Pues vaya a la puerta del jardín, deprisa, antes de que la criada nos sorprenda in fraganti, qué apuro.» «A sus órdenes, señora y beso a usted los pies.» «Yo beso a usted las manos caballero.» *(Va hacia un espejo.) (Mirándose.)* Pero, ¿qué [a] puedo decirle yo a estas alturas a un hombre como éste? *(Aparece* MARIO.) No se quede ahí, pase.

MARIO.  Usted dirá, señora.

PETRA.  «Señora»: buen comienzo. ¿Está para llover?

MARIO.  ¿Cómo?

PETRA.  El tiempo, el día... Si está para llover. Como viene usted de la calle y yo no he estado.

MARIO.  Hay alguna nube. Pero altas y blancas... No, no creo.

PETRA.  Las nubes... Cuando yo era chica había muchísimas. Ahora [a] hay menos.

MARIO.  Son pocos los cambios previstos para hoy en lo concerniente al tiempo. Casi nada: nubosidad de evolución diurna, que se centrará preferentemente en los sistemas montañosos. Algunos bancos de nieblas o neblinas aisladas. Y vientos flojos de componente noroes-

---

[a] coño.
[a] ya.

te. En el norte, posibilidades de precipitaciones débiles y dispersas.

PETRA.   Siempre me han dado pena los del norte, con su paraguas a cuestas todo el día y parte de la noche.

MARIO.   En cuanto al mar, prácticamente en calma.

PETRA.   Qué peso me quita usted de encima. Como no salgo nunca...

MARIO.   ¿Nunca, nunca?

PETRA.   Nunca jamás, que es peor. Por mi oficio. *(Pausa pequeña.)* Por eso me habrá notado usted algo carente de conversación.

MARIO.   No, no había notado nada.

PETRA.   Claro, no para usted de hablar... Yo antes leía novelas. Pero me dijeron que me trastornaban. Ahora sólo puedo leer un poquito, a hurtadillas, los trozos de periódico en que me traen envuelto el pescado, y así... [18]. Pero el olor no anima mucho.

MARIO.   Qué va a animar.

PETRA.   Yo no siempre he sido como usted me ve.

MARIO.   *(Irónico.)* Lo supongo.

PETRA.   Quiero decir que no siempre he tenido este oficio de Petra Regalada... Tenía yo quince años... Usted es tan jóven... hace poco que los tuvo.

MARIO.   No lo crea. Hace bastante. Mi cara engaña mucho.

PETRA.   Pues a mí me da confianza... Hay días en que echo de menos todo. Entonces íbamos en fila, con los guardapolvos, largos y grises, feísimos. de dos en dos. Entrábamos en la capilla como en una piscina helada. Y allí estaba San Antón con su cerdo, San Roque con su perro, Santiago con su caballo, San Jorge con su dragón... Ahora que lo pienso, aquella iglesia parecía un zoológico. Y el santo Cristo con su peluca llena de bucles, como Shirley Temple [19]. ¿Dónde habrá ido a

---

[18] La situación de Petra recuerda la de Diego en *Noviembre y un poco de yerba.*

[19] *Shirley Temple:* estrella infantil del cine norteamericano de los años 30.

parar todo eso? A ningún sitio, claro. Estará allí. Estarán allí el perro, el caballo, el cerdo, todos menos nosotras. Menos las niñas de quince años. Bueno, habrá otras. Ahora mismo estarán entrando otras. *Aqua benedicta... sic nobis salus et vita*[20]. Todavía me acuerdo, parecía el anuncio de un agua mineral. Qué raro es el tiempo, ¿verdad? Nos va empujando, sin que nos demos cuenta. Cuando volvemos la cara, ya no están las personas con las que íbamos hablando, ni la mañana aquélla, ni la risa... Nada. Nos va empujando. Y luego, viene usted y dice que son pocos los cambios previstos en lo concerniente al tiempo... Claro. El tiempo no es quien cambia. Él se conforma —el mismo, siempre el mismo— con empujarnos hacia la salida...

MARIO. No quisiera haber sido yo la causa...

PETRA. Dispense. Ya le he dicho que hay días. Y es este oficio. *(Pausa.)* Pero, ¿es que no oye usted lo de mi oficio? Se lo he repetido tres veces y usted, nada. ¿Hace el repajolero favor de preguntarme cuál es mi oficio, caballero?

MARIO. Sí, señora, con muchísimo gusto. ¿Querría usted aclararme la cuestión de su oficio?

PETRA. Sí. Tome asiento. *(Pausa.)* Yo soy puta, señor. ¿No le dice eso nada?

MARIO. Preferiría que usted se explicase...

PETRA. Puta. Ser puta. ¿Qué explicaciones necesita eso?

MARIO. Muchas. Todos los caminos llevan a Roma, pero a mí personalmente me interesa, más que la llegada a Roma, el camino que se use.

PETRA. Pues yo fui en autopista. Llegué en un periquete... *(Cambio.)* No sé por qué yo, que debería estarle preguntando qué hace usted en este pueblo, me dedico a contarle qué hago yo... Y es que tengo que hablar con alguien que no me haya tocado, ¿me comprende?

---

[20] Agua bendita, sea para nosotros salud y vida. Palabras de latín que se dicen al entrar en la iglesia.

*(Una luz leve ilumina al grupo de las fuerzas vivas.
Las luces de uno y otro diálogo crecerán o aminorarán
con la presencia o la ausencia de* PETRA.) Ellos siempre hablan de guerra o de dinero o de nada. De mí hace mucho que dejaron de hablar. *(Va hacia ellos.)* Mi
casa, que no es mía, es una mezcla de casino, sacris-
tía, burdel, sanatorio y salón de sesiones. *(Comienza a
hacerle la manicura a* DON MONCHO *que está hablando con* DON BERNABÉ.) Y yo estoy secuestrada. Más:
no estoy.

MONCHO.   Aquí no nos anduvimos con chiquitas. Se
trataba de quitarse de encima cuanto antes a los que
molestaban, ¿no? ¿O no se hizo para eso la guerra?
Me hace gracia la gente que hablaba de juicios, de pro-
cesos, de gaitas.

ARÉVALO.   La guerra es un sálvese quien pueda: quien
no pueda, que rece el Señor mío Jesucristo.

BERNABÉ.   Pero, las ideas políticas...

MONCHO.   ¿Qué ideas? Había los que pensaban como
yo y los que no. Los que no, por la muralla abajo.

PETRA.   Por qué os gustará tanto recordar tales inocen-
tadas.

MONCHO.   ¿Tanto? Demasiado poco. Primero, porque
un escarmiento debe recordarse siempre para que no
sea necesario otro... Luego, porque matar es más importante que nada en este mundo. Imagínatelo. Alguien que ha vivido cruzándose contigo, llevándose la
mano al sombrero para saludarte aunque sea a rega-
ñadientes, alguien que trabajaba su tierra y que no te
quería... De pronto haces un gesto, y se acabó. Ya no
existe. No está. No lo vuelves a ver. Qué paz... De vez
en cuando viene bien una guerra [21].

PETRA.   Será ganarla lo que venga bien. *(A* MARIO.) Es
el cacique, como habrá usted supuesto. Éste que le
baila el agua es el que puso de alcalde. Y éste, el nota-

---

[21] Nos recuerdan las palabras de Don Moncho el comentario semejante de Tomás en *Noviembre y un poco de yerba* y Marcos en *Las cítaras colgadas de los árboles.*

rio: legaliza todo lo que él le manda. Los llaman la Santísima Trinidad.

MARIO.   Según tengo entendido usted es una especie de María Auxiliadora.

PETRA.   *(Yendo hacia él.)* Yo ya le he dicho lo que soy.

MARIO.   Pero, ¿qué son las Petras Regaladas?

PETRA.   La única voz que ellos, a veces, oyen. Es una fundación que tiene cientos de años. Una familia construyó este convento...

MARIO.   *(Sorprendido.)* Pero, ¿esto es un convento?

PETRA.   Usted habrá oído decir que la vida da muchas vueltas, ¿no? Pues la que ha dado aquí es una vuelta de campana. El egoísmo de unos cuantos lo fue cambiando todo. De convento, a casa de putas, con perdón; de muchas putas, con perdón, a una sola para evitar problemas; de bienes de la fundación, a fincas personales... Cuando los del Patronato se cansan de una Petra Regalada o se les muere, van a la Inclusa de la capital y traen otra. La que había pasa a ser criada de la nueva: fraila se llama. A la nueva se la presenta al pueblo desde estos ventanales. Suele ser la noche de San Juan[22], entre los fuegos... Hace tanto que no sé ni cómo me acuerdo de esa noche... Con un manto bordado, que luego no se vuelve una a poner; desgranando mazorcas de maíz, y la gente gritando y peleándose por recoger los granos. Dicen que traen buena suerte. A ellos será.

MARIO.   Supersticiones.

PETRA.   Puede, pero cuando pasa algo gordo en este pueblo, en el que nunca pasa nada, sacan a la Petra en procesión, con su manto bordado, y ella lo arregla todo.

MARIO.   ¿Que lo arregla?

PETRA.   Ya lo creo que sí. Sólo tres veces ha salido en tantísimos años. Pero acabó con una peste horrible,

---

[22] Gala yuxtapone con intención irónica su mito de la Petra Regalada con la tradición de la noche de San Juan, tan asociada al primer amor de la muchacha.

con una sequía de diez años y pico y con la Guerra de la Independencia. Para este pueblo, la Petra Regalada es su Dios en la tierra.

MARIO. *(Mirando alrededor.)* Pero esta corrupción de ahora[e], esta degeneración...

PETRA. Aquí ya nadie puede distinguir lo de ahora y lo de antes. Los miembros de la Junta llegan y yo los recibo. No hay más.

MARIO. Y quiénes son?

PETRA. Los que mandan. Los que siempre han mandado. *(Señala a los viejos.)* Mire. *(Señalándolos dentro de un marco.)* El fajín y la divisa del Hermano Mayor, Don Moncho, claro... Yo estoy aquí con las manos cruzadas, viendo llegar la muerte. ¿Usted comprende?

MARIO. No.

PETRA. ¿Quién va a comprender esto? *(Como llevándose la luz —la luz rosa con la que MARIO entró— cruza lentamente el escenario.)*

MONCHO. *(A BERNABÉ.)* He oído que su hijo formó anoche una buena.

BERNABÉ. No hay quien haga carrera de él.

ARÉVALO. A esa edad son todos iguales.

MÁRIO. *(A ARÉVALO.)* ¿Qué fue lo que pasó?

ARÉVALO. Que estaba un poco alegre, se olvidó de dejar el coche a la puerta de la cantina de la fábrica y entró con él. Cosas de jóvenes.

BERNABÉ. Ya era suficiente entrar en coche, ¿no? Pues[a] sacó una pistola y se lió a tiros con la botellería.

MONCHO. Que su hijo, cuando tenga ganas de emborracharse, vaya a otro sitio.

BERNABÉ. Estos chicos... ¿A quién habrán salido?

PETRA. Yo no tendré hijos; tampoco tuve padres: *(Golpeándose el vientre.)* aquí me acabo yo. *(Se deja caer en una silla.)*

MONCHO. Los hijos no dan más que desazones. Esto te ahorras.

---

[e] Faltan las palabras «de ahora».

[a] además.

BERNABÉ. ¿Por qué los echas de menos *(Con intención)* precisamente ahora?

PETRA. Porque no vengo de ningún sitio, ni voy a ningún sitio.

ARÉVALO. Igual que todas las Petras que ha habido antes que tú.

PETRA. *(Levantándose.)* ¿Y tú crees, animal, que eso consuela?

MONCHO. Danos una copa o lo que sea y olvídate. Se pasará. Es que nos vamos haciendo viejos, Petra. *(Va a servir algo.)*

ARÉVALO. *(Al pasar.)* Qué buena yegua eras.

PETRA. Y tú que mal jamelgo sigues siendo... Ahí está: era... Cuando me encargasteis indagar sobre el recién llegado, ninguno temió que pasara algo entre él y yo. Y al fin y al cabo...

MONCHO. Celos ahora...

PETRA. No hablo de celos, no. Pero que ni siquiera os pasara por la cabeza la posibilidad de... Luego lo comprendí. ¿A quién iba yo a gustar? ¿Estaba loca? No tenía más que mirarme en vosotros. *(A* MONCHO.) Sí, envejecemos...

MONCHO. ¿Y qué? Señal de que vivimos... ¿Por qué te vas a impresionar, como dice Bernabé, precisamente ahora?

PETRA. Porque es precisamente ahora cuando me siento vieja. Ojalá estuviera ya muerta, en vez de estar viviendo *(Ha cruzado hacia* MARIO) con el terror de que me sustituyan. No sé cuándo será, pero sé que será. Y pronto. Hay días que despierto deseando que suceda.

MARIO. Es atroz que el capricho de unos cuantos se convierta en el destino para los demás[e].

PETRA. Yo llevo veinte... *(Gesto.)* Yo llevo treinta años sin ver más que a ellos. A unos les tengo afecto y a otros, no. Son como mi familia. Una familia horrible,

---

[e] Por evidente equivocación, en *V* falta esta intervención de Mario y una intervención de Petra sigue directamente a la otra.

no elegida, a la que hay que resignarse: o sea, igual que todas. Cuando llegué todavía estaban presentables. Ahora, ya lo ve usted: unos carcamales... Bueno, gente de garrafa siempre fueron... Si les soplo, se caen. Lo que me salva es que no tienen ganas de enfrentarse a una nueva Petra, más exigente, que los pregonaría y acabaría con ellos en semana y media.

MARIO.   Y, ¿esa es toda... la vida que hace usted?

PETRA.   Nos hemos ido acostumbrando ellos a mí y yo a ellos [a]. Alguna noche he deseado que se muriera uno y lo sustituyera su hijo mayor. Un hombre que, al primer envite, decidiría jubilarme, pero que se iba a acercar a mí como a una mujer, como a algo que se ha de conquistar.

MARIO.   Una mujer es mucho más que eso.

PETRA.   Puede... Yo llegué aquí cuando tenía quince años, ¿quién me lo iba a enseñar?... ¡Puede! Tenía quince años y una colcha.

MARIO.   ¿Una colcha?

PETRA.   (Afirma.) Parece que me estaban ya diciendo que iba a ser toda mi vida una mujer de cama. Ya me dirá usted para qué sirve una colcha por bordada que esté: debajo de ella me habría muerto de hambre... Quince años, una colcha y mi nombre, que se quedó a la entrada, como un paraguas mojado. Me llamaba Dolores...

MARIO.   La compadezco [23]. (MARIO baja la cara. Ella se anima.)

PETRA.   No se entristezca por mí. Tengo de todo. En el jardín, faisanes y palomas y treinta y siete variedades de flores; una comida sana y abundante; más vestidos de los que pueda usar; cepillos para el pelo... y mi caleidoscopio. Me siento, y veo atardecer si quiero.

---

[a] Ellos hacen como si no vieran mis arrugas y yo como si no viera lo que se les arruga a ellos, con perdón.

[23] Como antes en el diálogo con Camila, esta reacción de Mario al deseo de Petra de llamarse Dolores puede tener un doble sentido. Es decir, que Mario puede compadecerle el nombre Dolores y no la situación en que vive.

Por las ventanas, claro. O amanecer, porque no duermo mucho. Como no hago ejercicio... Ahora me han traído una bicicleta de esas fijas. Pero no soy yo muy mujer de bicicleta. A mí me sirve de orientación sobre todo la radio, que es lo que más escucho. Al principio fui muy religiosa, muy mística. Un petardo. Luego me fui animando. Y ahora... Cuando me entra la murria me digo: «Confórmate, hay más gente sola y hay gente más sola.» Y me conformo.

MARIO.  Qué natural se acaba viendo lo terrible cuando se ve a diario.

PETRA.  Si viviéramos para siempre, merecería la pena intentar vivir mejor. Pero tal como están las cosas, lo que queremos es sólo vivir más. ¿No es eso?

MARIO.  No, no es eso. *(Se están mirando fijamente.)*

MONCHO.  *(Desde el otro lado de la escena.)* ¡Petra! *(Ella, sin dejar de mirar a* MARIO, *se acerca.)* ¿Cómo van los sondeos?

BERNABÉ.  ¿Se ha enamorado ya de ti el curita?

PETRA.  No es cura.

ARÉVALO.  Pero le gustas.

PETRA.  *(Desafiante.)* Sí.

MONCHO.  ¿Qué has averiguado?

PETRA.  Apenas habla de él.

MONCHO.  He pedido informes a una agencia. Con la fotocopia que sacamos de sus papeles, no tardaremos en saber quién es y lo que quiere. Lo evidente es que no le caemos bien.

BERNABÉ.  Salvo Petra. Se pasa el día aquí.

PETRA.  *(Mirándolos de uno en uno.)* Buenas noches<sup>v</sup>. Hala, puerta. Cada mochuelo a su olivo.

MONCHO.  Hasta mañana.

PETRA.  Ay, si no amaneciera. *(Los empuja.)*<sup>e</sup> Buenas

---

<sup>v</sup> En *V* el diálogo continúa: «*(Va a retirarse por el centro del escenario. La luz la sigue.)* ¡Hala! ¡Puerta! Cada mochuelo a su olivo. ¡Camila! que se van los señores.
BERNABÉ.  Hasta mañana.»
<sup>e</sup> Falta la acotación.

noches. Buenas noches. ¡Por fin! Que no se iban los pelmazos. *(Va a retirarse por el centro del escenario. La luz la sigue.)* [e]

CAMILA.  ¿Quieres dar un paseíto por el jardín? Hace tan bueno.

PETRA.  Me siento como apamplada[24].

CAMILA.  Apamplada, no: enamorada. Sí, no te pongas basilisca. Enamorada.

PETRA.  ¿De quién?

CAMILA.  De mí.

PETRA.  A la vejez, viruelas.

CAMILA.  Viruelas o ciruelas o quinielas. Pero tú estás enamorada.

PETRA.  ¿Por qué no vas y me acusas ante ellos?

CAMILA.  Mientras seas tú la Petra, yo seré la fraila. Después, no sé. Prefiero lo malo conocido...

PETRA.  Qué sincera y qué amable.

CAMILA.  Igual que tú. Ahora somos compinchas.

PETRA.  ¿Tú crees que estoy enamorada? Como nunca lo estuve, no sé lo que es. Tú sí. Tú te pirraste por Don Moncho, ¿te acuerdas? Porque te lloraba encima de la falda. Pocas cosas hay más ridículas que una puta enamorada.

CAMILA.  Sí: una puta enamorada es un mal chiste. Y una mala locura.

PETRA.  Y una puta vieja y sin enamorar, como tú, ¿qué es?

CAMILA.  La vida propiamente dicha.

PETRA.  Gozo da oírte. *(Sigue su itinerario y lleva la luz al otro extremo.)*

MARIO.  Le he traído este libro. *(Se lo alarga. Se empieza a oír una lejana música de pueblo.)*

PETRA.  *(Tomándolo.)* Me lo quitarán.

MARIO.  *(Seguro.)* Si usted no quiere, no.

---

[e] Falta la acotación.

[24] *Apamplada:* embobada. Alonso, en su *Enciclopedia del idioma,* incluye el verbo «apampar» con este sentido y lo identifica como expresión corriente en la Argentina (pág. 406).

PETRA. *(Ojeándolo.)* Versos. Yo leo muy mal. *(Le-yendo.)*

> Cada cosa tiene un destino
> de alegría que ha de cumplir,
> pero se cansa la alegría
> de siempre dar sin recibir.
> Quien siembra espera la mañana
> luminosa de recoger.
> Hasta el agua que nada espera,
> brota esperando alguna sed.

*(Se aleja hacia el ventanal emocionada.)*

MARIO.    Acariciar playas vacías
cansa el amor azul del mar.
También se cansa la alegría
de repartirse sin cesar[25].

PETRA. *(Sin volverse.)* Ya empieza a hacer calor. Ha-bía verbena, ¿no? Esa charanga siempre me ha gusta-do. Se me van los pies cuando la oigo. No sé a dónde, pero se me van. Me suena dentro, como... Qué pena no haber sabido[v] nunca...

MARIO.  Dolores... Dolores.

PETRA. *(Niega con la cabeza sin volverse.)* Me llamaré Dolores cuando ya nadie se tome el trabajo de llamar-me; cuando nadie me dirija la palabra sino para decir-me «friega», «barre», «vete».

MARIO.  Dolores.

PETRA.  Me llamaré Dolores sólo para morir.

MARIO.  Dolores.

PETRA. *(Volviéndose.)* Me llamo Petra Regalada.

MARIO.  Nadie pierde su nombre si no quiere.

PETRA.  Es tarde para aprender eso.

---

[v] salido.
[25] Estos versos son originales de Gala.

MARIO.    La vida empieza mañana.

PETRA.    La mía, no.

MARIO.    No tenemos cada uno una vida. La vida es de todos y entre todos hemos de vivirla. Como esa música. Es para todos, la hacemos entre todos, la oímos todos, entre el polvo de la verbena y el humo de los churros y el olor del aceite.

PETRA.    Yo la oigo sola, desde aquí.

MARIO.    Es preciso romper las murallas, buscar la compañía de los otros.

PETRA.    ¿Qué son esas murallas?

MARIO.    Las que a ti te tienen encerrada aquí. Las que tienen a los demás encerrados afuera.

PETRA.    ¿Quién eres tú? ¿A qué has venido?

MARIO.    A librarte y a pedir que me ayudes a liberar a los otros.

PETRA.    Yo no soy de esta tierra. No tengo muertos enterrados aquí. No tengo ningún muerto en ningún sitio.

MARIO.    Te estoy hablando de la vida, no de la muerte.

PETRA.    Soy una cualquiera[v] cansada y sin amor.

MARIO.    Nadie es nada que no quiera haber sido. A nadie puede ensuciársele sin su consentimiento. Uno es sólo lo que elige ser en libertad. La vida empieza ahora, ahora, ahora.

PETRA.    Mario. *(Él le acaricia la cara. Luego, desaparece. Ella se lleva la mano donde él puso la suya.)* ¿Es posible, Dios mío? ¿Será posible que la vida empiece ahora? *(Se escucha una carcajada de los viejos, en lo oscuro. Es de noche.* PETRA *se sienta, desvelada.* TADEO *se acerca casi desnudo. Se acurruca junto a ella, que lo acaricia y acaba lamiendo las manos de* PETRA *igual que un perro.)* ¿A dónde vas? *(Un gruñido.)* Dorotea te está reclamando desde la cuadra. Se la oye patear. ¿Cómo es que la dejaste? Ah, mi niño. Es que yo estoy más sola. Más que nunca, porque empiezo a saber lo que es la compañía... Soy como esa mula que

---

[v] puta.

aporrea con sus cascos. Ella te espera a ti. Pero a mí,
¿quién me espera? Yo, ¿qué espero?... Detrás de tanta luz debe haber algo, pero ni tú ni yo sabemos qué.
Ve con Dorotea, cariño. Que cuando despierte del todo te encuentre a ti a su lado... Ojalá me pasara a mí
lo que a tu mula.

*(Sale el niño. Por el otro lateral aparece* MARIO *con
un ramito de arrayán que deja en algún sitio.* PETRA
*permanece en la misma postura, sentada, casi en
suelo, y ahora como escuchando el relato de*
MARIO.)

MARIO.   La primera ciudad de la tierra prometida se
llamaba Jericó. Había que conquistarla. Y Josué, el jefe de Israel, mandó un par de espías que la explora-
ran. Llegaron de improviso, como yo aquí. Y entraron
en casa de una ramera llamada Rajab.

PETRA.   Ya. De una puta. Me lo temía[a].

MARIO.   Era una buena mujer: escondió a los espías y
los ayudó a huir, porque vivía en la misma muralla.

PETRA.   También yo vivo en la muralla. Ni dentro, ni
fuera. Quizá soy yo la que hay que derribar[a].

MARIO.   A cambio, ellos le prometieron salvarla cuando cayera la ciudad, siempre que atara como señal
un cordón rojo en su ventana.

PETRA.   ¿Y cómo conquistaron Jericó?

MARIO.   Josué dio una vuelta cada día, durante seis, a
la ciudad, y al séptimo le dio siete vueltas y mandó tocar todas[e] las trompetas.

PETRA.   *(En un descubrimiento.)* ¡Las trompetas! Si
hasta a mí me sonaban[a]. ¡Menudas! *(En «happy
end».)* Y se fueron a tomar viento las murallas.

MARIO.   No; fue el grito que, por orden de Josué, lanzó
el pueblo entero. Es el clamor del pueblo, no las trom-

---

[a] Sigue.
[a] Sigue.
[e] Falta «todas».
[a] De cuando la inclusa.

petas, el que derroca las murallas. Por eso tienes que ayudarme. Tú, Dolores, desde dentro, con el poder de Petra Regalada. Y yo fuera, sin más poder que el pueblo. Tú y yo, juntos, conseguiremos que sea libre.

PETRA.   Libre, ¿de qué?

MARIO.   De entrar y de salir, de obedecer y desobedecer, de crecer y de mejorar y de alegrarse. Libre de tener cada cual su propio nombre, su propio amor, su propio destino, no el nombre y el destino que quieran imponerle.

PETRA.   Y los que están ya gastados, los que no tienen hijos, ¿para qué lucharán?

MARIO.   La vida es un trabajo común. *(Le acaricia con un dedo la cara.)*

PETRA.   Mario.

MARIO.   Te dije que entre todos llevamos este encargo de la vida un poco más allá. Entre todos los que somos de la misma talla. Los que se creen superiores no nos sirven: el poder los ha podrido.

PETRA.   Tú hablaste antes de mi poder de Petra Regalada.

MARIO.   Sí, pero ése es el único que no corrompe: el poder de los sacrificados.

PETRA.   Mario, ¿tú crees de veras que yo he sido sacrificada?

MARIO.   *(Después de mirarla con la cara de ella entre las manos de él.)* Sí, lo creo.

PETRA.   Suceda lo que suceda no olvidaré esto nunca...

MARIO.   ¿Me ayudarás entonces?

PETRA.   ¿Tú crees de veras que yo serviré, Mario *(Él afirma)*..., que yo te serviré? *(Él le toma la barbilla con la mano.)* ¿Tú crees que la vida empieza ahora?

MARIO.   *(La besa dulcemente.)* Sí.

PETRA.   También lo creo yo. *(Se quedan un instante mirándose frente a frente. Desciende algo la luz. Vuelve con la entrada de* CAMILA.*)*

CAMILA.   Que vienen los señores. Que vienen los señores. *(Oímos, en efecto, sus voces.)* No os miréis más así. ¿Estáis sordos? Se acabó. *(Manotea entre las dos miradas.)* Tendré yo que cuidaros para cuidarme a mí. *(Disimula cuando entran los viejos.)*

ARÉVALO. *(Entrando el primero.)* Venga, Don Moncho, que aquí está el pájaro.

MONCHO. Mejor, así se hará todo sin dar tres cuartos al pregonero. Petra, hija mía, ya no tienes que fingir más.

MARIO. ¿Fingir?

ARÉVALO. Natural, imbécil. ¿Te iba a recibir ella por gusto en el convento? Eran órdenes nuestras.

MONCHO. Mías, Arévalo. *(A* PETRA.*)* Ya nos han contestado. Ya sabemos quién es. Debimos suponerlo. Un cantamañanas, un arrebatacapas[26], un cura arrepentido, un don nadie, un charlatán...

PETRA. Cuántas cosas.

MARIO. Yo...

MONCHO. A callar. Has comido a mi costa unos cuantos días. Voy a ver la manera de hacerte pagar esas comidas, o hacer que las vomites.

BERNABÉ. *(A* PETRA, *con intención.)* ¿Averiguaste tú algo?

PETRA. Nada. Va por los pueblos sin ton ni son, cogiendo lo que puede, que no es mucho. No es de temer. Echadlo y que se vaya.

MONCHO. Ella es una paloma sin hiel. Pero tú vas a lamentar haber entrado por esa puerta a este sancta sanctorum diciendo: «Quiero que me oiga todo el mundo.» ¿Qué iban a oírte, di, qué iban a oírte? *(Lo sacude.)* Todos los resentidos sois iguales, todos los trepadores: fanfarrones de mierda, parlanchines, hinchados de pus como un grano que hay que abrir con la uña... o con un navajazo. Estoy hasta la coronilla de vosotros. «Quiero que me oigan todos.» Chillar es lo que van a oírte. Siempre lo mismo en este miserable pueblo. En cuanto le aflojamos las riendas, sale en cada esquina un chulo de éstos que quiere aprovecharse de

---

[26] *Un cantamañanas, un arrebatacapas:* un estúpido, un ladrón. Expresiones coloquiales.

los trenes baratos. No te dejan ser comprensivo, ni condescendiente. No puede uno descansar un momento. Porque llegan los retorcidos éstos, los listillos, los mediocres, los mediohombres éstos. Maricón, ¿qué es lo que iban a oír todos? *(Lo sacude, lo suelta.)* ¿Veis? Ya no oye nadie nada. Se acabó ese entremés de hablar con la gente del pueblo, de inquietarla, de ponerla en contra nuestra. ¿Veis? Se acabó. *(Con infinito desdén.)* ¡Los revolucionarios!

PETRA.  Qué mal rato te estás llevando, Don Monchito. Si no vale la pena. Un hombre que pasaba por ahí, que se asomó un momento y que se va como llegó. Total... Ojos que te vieron, paloma turca[27]. Que Camila lo acompañe a la puerta.

BERNABÉ.  *(Con el libro que* MARIO *le dio a* PETRA.*)* ¿Y no se va a llevar este librito?

PETRA.  Si es suyo, que se lo lleve. O te lo quedas tú. No quiero aquí libritos.

BERNABÉ.  ¿Ni de versos? *(Abriendo el libro por una señal.)*

Acariciar playas vacías
cansa el amor azul del mar.

PETRA.  Jesús, qué cosa más tonta. Terminad de una vez. Que se largue y en paz. Yo ya he cumplido. *(Inicia la salida.)*

MONCHO.  *(A* BERNABÉ, *que se ríe.)* ¿Pasa algo?

BERNABÉ.  No; que yo sepa, no.

MONCHO.  *(A* MARIO, *reteniendo a* PETRA.*)* Te vas a ir de esta casa, mamón. Te vas a ir de este pueblo. Pero primero te vas a ir de vareta. Llévatelo al cuartelillo, Arévalo, y que le zurren la badana tus hombres hasta que le salga por las orejas la leche que le dieron. (ARÉVALO *agarra a* MARIO, *que se defiende, y le retuerce*

---

[27] *Paloma turca:* expresión caribeña que se refiere a la paloma salvaje que no vuelve después de echarse a volar.

por la espalda el brazo. PETRA *va a intervenir.* CAMILA *interrumpe para cortar la tensión.*)

CAMILA.   Petra, que si quieres bañarte ya tienes el baño preparado.

MARIO.   *(Volviéndose casi en la salida.)* Por mí no espere. No se le enfríe el agua. (ARÉVALO *le da un revés.)* Ya veo que en Jericó resisten las murallas. *(Sale empujado por* ARÉVALO. PETRA REGALADA *coge el fajín de Hermano Mayor y lo ata en la reja del ventanal.)*

MONCHO.   ¿Para qué es eso?

PETRA.   Para que, de ahora en adelante, hasta los que vean de lejos esta casa sepan que tiene un amo.

MONCHO.   ¿Qué dijo ese idiota de murallas?

PETRA.   Se refería a lo bien guardada que estoy yo con vosotros. *(Sirve vino.)* Toma. *(A* BERNABÉ, *mirándole a los ojos.)* Tome usted. *(Brinda.)* A vuestra salud. Por lo listo que sois. *(Beben.)*

Hasta el agua, que nada espera,
brota esperando alguna sed.

*(Transición repentina. A* MONCHO *con urgencia.)* Llámalo. Pronto. Llama a Arévalo y dile que lo suelte.

MONCHO.   ¿De qué hablas?

PETRA.   Te lo pido por lo que más quieras. De rodillas. Por Dios. *(Murmura casi ininteligiblemente.)* No puedo más. No puedo más...

MONCHO.   ¿Qué dices? No la entiendo.

BERNABÉ.   Está bien claro: Petra Regalada se ha enamorado de él. (PETRA *solloza.* DON MONCHO *rompe a reír incontenibblemente.* BERNABÉ *lo sigue.* PETRA *va levantando poco a poco la cabeza.)*

MONCHO.   ¿Qué es lo que quiere nuestra tortolita? ¿Qué es lo que quiere nuestra Petra?

PETRA.   Que me dejéis vivir.

CAMILA.   Cállate, niña.

PETRA.   Que me dejéis vivir. No quiero seguir siendo una ramera.

218

BERNABÉ. *(Entre risas.)* Una «ramera», dice. ¿Dónde habrá aprendido esa palabra?

MONCHO. ¡Cómo se ha refinado tu ama, Camila! Qué dengues.

CAMILA. Le voy a dar un buen baño. Verán los señores cómo se le pasa en seguida. Son nervios. Son los nervios, las voces. Aquí no ha habido nunca escenas de éstas. *(A* PETRA.*)* Anda, levántate.

PETRA. Dejadme que me vaya.

CAMILA. Al baño es donde vas. *(Mediando.)* Me la llevo. Me la voy a llevar.

MONCHO. *(Con una brusca indignación.)* Tú vete, zorra rancia. ¿O es que nos vamos a volver todos locos aquí? *(Sale* CAMILA *con la cara entre las manos. A* PETRA, *ya serio.)* Venga, ¿qué es lo que sucede?

PETRA. Renuncio a mi puesto de Petra Regalada.

BERNABÉ. ¡«Renuncio»! ¿Tú sabes lo que es eso? A eso no se renuncia. No se puede decir a un destino «ahora sí» y «ahora, no».

MONCHO. Y todo porque se ha enamorado. *(A ella.)* Cretina, pero, ¿quién te ha dicho que el amor sirve para algo?

BERNABÉ. ¿Es que Don Moncho renuncia a ser lo que es o yo a ser lo que soy? En este mundo cada cual tiene un sitio, cada cual desempeña su papel[28]. Hasta el final, pervertida. ¿Qué te imaginabas? «Ya no quiero ser ramera». ¿Qué sería del orden si se nos preguntara nuestra opinión sobre lo que queremos o no queremos ser?

MONCHO. *(Desdeñoso.)* El amor. *(Está bebiendo con prisa.)* La culpa es mía por no haberte echado[v] donde deberías estar hace ya tiempo. Eres la Petra Regalada más decrépita de la historia. Mírate: una tía tirada[v],

---

[v] enviado.
[v] retirada.
28 Repárese en la semejanza entre las palabras de Bernabé y la ideología de ciertos autos sacramentales, sobre todo *El gran teatro del mundo* de Calderón.

desleal y egoísta. ¿Qué es lo que te ha faltado? Contesta. Antojos, histerismos, fantasías[v]: todo lo has tenido. Como una melindrosa malcriada.

BERNABÉ.   Y ahora la guinda[v][29]: «No quiero ser ramera.» Qué disparate. Esto es lo nunca visto.

MONCHO.   Pero, ¿quién crees que eres?

PETRA.   Una mujer. Nada más.

MONCHO.   Millones de mujeres darían lo que se les pidiera por estar como tú. Pero, eso aparte, te guste o no te guste, donde estás estarás hasta que la Hermandad decida sustituirte.

BERNABÉ.   ¿Dónde irían si no a parar la tradición de siglos, los preceptos, las jerarquías? Virgen Santa, una Petra Regalada que renuncia: el principio del fin. No hay noticias históricas de un hecho como éste.

MONCHO.   Cuando entraste en este convento, entraste para siempre. De él no se sale sino de dos maneras, esa es la ley: o muerta o para el asilo de la capital. Así está escrito y ni tú ni nadie va a impedir que se cumpla.

BERNABÉ.   Qué escándalo, Señor. Estamos presenciando un acontecimiento que quedará en los anales de la Fundación.

MONCHO.   La ingratitud: eso era lo que menos me esperaba. Hemos estado alimentando a una serpiente. Por amor —sabe Dios lo que ella llama[v] así—, por amor quiere poner boca abajo al mundo entero.

ARÉVALO.   *(Que entra hablando.)* Se queda en buenas manos. No sé si saldrá vivo... *(Sorprendido por las actitudes.)*

PETRA.   *(Repentina, al oír a* ARÉVALO.*)* Está bien, está bien. Renuncio a renunciar. Que siga el mundo entero boca arriba. Era tarde para esto. Desde el primer momento lo supe. Saldré de aquí como ordenan las san-

---

[v] fantasía.
[v] querida.
[v] llamará.
[29] *La guinda:* expresión coloquial que significa «lo único que faltaba».

tas reglas de la Fundación: muerta o inútil. A cambio dejad ir a ese hombre. *(Va de uno a otro.)* Pronto, que no le peguen más, deprisa, al cuartelillo. Yo me quedo, pero id vosotros por favor, deprisa. Que estoy sintiendo los golpes en mi carne. Mi vida por la suya. Deprisa. Moncho, perdóname, ya me perdonarás. Pero deprisa ahora.

MONCHO.  Estoy oyendo mal, qué tarde llevo. ¿Tú me estás mandando a mí? ¿Tú me estás concediendo tu vida, jugando a «yo te doy una cosa a ti tú me das una cosa a mí»?... Decididamente no oigo bien.. ¿Y tú, Arévalo?

ARÉVALO.  No me entero de nada.

BERNABÉ.  Nuestra Petra, como compensación por no fugarse con tu detenido, exige que lo pongas inmediatamente en libertad. Para entendederas como las tuyas, no debe ser sencillo.

PETRA.  *(Colmada.)* Hasta aquí llegó la riada. Llevo treinta años muda. Treinta años, que se dice muy pronto, diciendo sí o no como Cristo nos enseña. Treinta años hecha una marioneta esperando que uno de vosotros tirase del hilito. Treinta años aguantando: acuéstate, levántate, hazme reír, escúchame, consuélame. Treinta años soportando borracheras, secretos, ambiciones, confidencias, peleas familiares, la Biblia. Treinta años de confesora, de médica, de loquera, de basurera, de hija de la gran puta. Pero hasta aquí llegó la riada. Ya explotó el triquitraque: ahora os vais a enterar de lo que pienso de vosotros.

MONCHO.  No nos vamos a enterar de nada. Tú eres la que te vas a...

PETRA.  *(Interrumpiendo.)* Yo no me voy a ninguna parte. Aunque me desolléis viva, diré lo que tengo que decir de una puñetera vez.

BERNABÉ.  *(Hacia dentro.)* Camila, a ver si te llevas a Petra, mujer.

CAMILA.  *(Que entra sofocada.)* Petra, Petra, Petra.

PETRA.  Déjame en paz, que estoy hablando por las dos. Estoy hablando en nombre de muchísima gente.

Me han abierto los ojos. Ay, el amor no es ciego. Al contrario, al contrario.

BERNABÉ. Un calmante, Camila... Ese baño, ¿no decías que había...?

PETRA. Ni calmantes, ni baños, ni berenjenas en vinagre. ¿No eres notario tú, Bernabelito? Pues a dar fe, que de lo que voy a decir sí que importa que la Fundación tenga «noticia histórica». Vamos a hablar claro y que cada cual cargue con su muerto. Se acabaron las complicidades. Esto ha sido un cuchipandeo de toma, pan y moja. Aquí todo se volvía «tápame tú para que yo te tape», y a vivir que son dos días. Hasta ahora. Por lo pronto *(A* BERNABÉ *y* ARÉVALO), vosotros dos sois dos castrones lameculos, dos recogepelotas, que habéis estado comiendo la sopa boba y bailando al son que os tocaba *(señala a* DON MONCHO) aquí el *omnipotente.*

BERNABÉ. Qué lengua, señor. Y qué paciencia[v].

PETRA. No hablo de vuestras extorsiones, de vuestras corrupciones... Allá los jueces: cortaros la cabeza a cachitos sería poco castigo... No hablo siquiera de eso; como seres humanos digo: sois desechos de tienta, escurriduras.

ARÉVALO. *(Amenazador.)* Bueno está lo bueno. *(Consigue tapar a* PETRA *la boca con la mano.)*

PETRA. *(A* ARÉVALO *que se adelanta amenazador.)*[v]. Quieto, que te conviene, que si no eres más bestia[v] es porque el día no es más largo. Ese *(por* DON MONCHO) tiene guardada donde yo sé una cajita con un montón así de testimonios.

MONCHO. ¿Yo? (DON MONCHO *pone cara de extrañeza.)*

PETRA. Por uno solo de ellos entrabais en la cárcel con

[v] En *V* no interviene Bernabé hasta después de la siguiente oración de Petra.

[v] En *V:* PETRA. *(Liberándose.)* Maldito orangután. (ARÉVALO *intenta alcanzarla de nuevo.)*

[v] lenta.

música de órgano. ¿Qué pensabais: que siendo todos de la misma calaña él confiaba en vosotros? Angelitos. *(Irrumpe* TADEO, *gruñendo, como rabioso, mirando a los tres hombres.* PETRA *suaviza el tono.)* Hola Tadeo, guapo. No me pasa nada, no me hace nadie daño. Estamos echando unas palabritas estos amigos de la casa y yo[a]. *(El muchacho se escapa de sus brazos, va hacia* ARÉVALO *e intenta morderle.* ARÉVALO *lo golpea.)*

ARÉVALO.    *(Golpeando a* TADEO.) ¡Cabrón de niño![a]

PETRA.    No lo toques. *(Ella defiende a* TADEO, *mientras se vuelve a* BERNABÉ.) Defiéndelo, cobarde. Tú sabes quién es. Tú sabes que es hijo de tu hija, de esa rubia tan ñoña que anda como una divina aparición. *(Ha rescatado al muchacho y lo tranquiliza acariciándolo con la mano y con el tono de voz, aunque sigue dirigiéndose a* BERNABÉ.) Y sabes también quien es el padre: tú. Es tu hijo y tu nieto. Tú lo sabes. ¿No vas a defenderlo?... *(A* TADEO.) Ha preguntado por ti la mula, Tadeo, guapo. Ha estado todo el día preguntando por ti. *(Lo lleva hacia la puerta.)* Vete con ella. La mula es de lo mejorcito de esta casa. Luego te llamo. O te voy a buscar, según acabe el pregón. Anda, hasta luego... [a]*( El muchacho mira a los hombres.* PETRA *lo besa. Sale* TADEO.) El museo de los horrores es una opereta comparado con esto, ¿no? Pues todavía no hemos empezado. ¿Me oyes Don Moncho? Te lo has buscado tú.

MONCHO.    No, Petra, mejor será... (PETRA *se le acerca de frente.)* No, Petra.

PETRA.    *(Impertérrita.)* Sí. Se acabaron las contemplaciones. Ya me da todo igual. *(A* ARÉVALO.) ¿Sabes quién era aquel cochero de Don Moncho, a quien tú en la guerra le cortaste el pito y le descerrajaste en el culo una escopeta?

ARÉVALO.    Ramiro, el maricón.

---

[a]    ARÉVALO.    ¡Cerda!
[a]    ¡Cabrón de niño... hijo de puta!
[a]    Camila, llévatelo.

PETRA.   No. Él se había resistido a las proposiciones de éste. *(Señala a* DON MONCHO.) El maricón es éste. Ha sido siempre éste. Dio la orden de matarlo por temor a que hablara. Por eso, antes que el pito, te mandó que le cortases la lengua. De lo que este macho tan macho es capaz de hacerle a una mujer somos testigos Camila y yo. Hasta ahora le he guardado el secreto porque a los machos no los mido yo en la cama. Los machos son la vida. Y reparten la vida alrededor. *(A* DON MONCHO.) Tú eres la muerte contagiosa. *(A* DON MONCHO.) Pero bueno será que además sepa todo el mundo lo que tú barruntas. El hijo de tu mujer, esa desgraciada que cargó contigo y con el oficio de tapadera, tu hijo único, tu heredero universal no está estudiando diplomático como te hace creer, ni es un bala perdida mujeriego. Es lo que tú, pero por la tremenda. Qué grande es Dios. Trabaja vestido de mujer, trabaja vestido de mujer en un cabaret de la capital. Un tío, sí, señor. Dando la cara. Siendo. Con trajes que le ha dado esta servidora. Y su nombre de guerra es Lady Pum. Pero que no te quite el sueño la información —donde las dan, las toman—, que no te desnivele. Porque no es hijo tuyo. Es hijo de tu perro fiel, de tu animal doméstico: Antonio Arévalo, presente por fortuna, que no me dejará mentir.

CAMILA.   *(Ante la expresión de estupor doloroso de* DON MONCHO.) Moncho, ¿qué tienes? *(A* PETRA.) Cállate. *(A* DON MONCHO, *que se desploma.)* ¿Qué tiene, Dios mío?

BERNABÉ.   El corazón. *(A* ARÉVALO.) Un médico. Ve por él.

PETRA.   Qué raro. No usar el corazón más que para morirse[30] Lo que es la falta de costumbre de escuchar la verdad, con lo que me ha aliviado a mí decirla. *(A* ARÉVALO, *contundente.)* Tú, antes que nada, saca del

---

[30] Repárese en la semejanza con la canción de protesta de *Spain's Strip-Tease,* citada en la introducción: «El corazón nos sirve sólo para morir.»

cuartelillo a Mario. Lo necesito aquí antes de un cuarto de hora. En Jericó ya han empezado a hundirse las murallas. *(Un sollozo de* CAMILA *junto a* DON MONCHO *desvanecido.)* Camila, un abanico. Y una mantilla blanca, que voy a ir a los toros[31].

---

[31] Aunque la acción de Petra aquí muestra su alegría ante la muerte de Don Moncho, las palabras también presagian su futura desilusión. Véase Iribarren, pág. 271, por una explicación de la expresión dialogada y popular «—¿Adónde vas? —A los toros ⸱ —¿De dónde vienes? —De los toros».

## ACTO SEGUNDO

CAMILA *está sentada junto a un gran damero, absorta. De vez en cuando, bebe.* ARÉVALO *busca y rebusca por cajones, muebles, etc.* TADEO *se entretiene con el caleidoscopio. Entra* DON BERNABÉ.

BERNABÉ.  *(A* ARÉVALO.) ¿Has encontrado algo?

ARÉVALO.  No. *(Continúa su búsqueda.)*

BERNABÉ.  Yo, tampoco. *(Busca también. A* CAMILA.) ¿Dónde está Petra?

CAMILA.  *(Moviendo unas fichas.)* Con el enfermo.

BERNABÉ.  ¿Con cuál?

CAMILA.  ¿Con cuál va a ser? Con el suyo [a].

BERNABÉ.  ¿A qué juegas, encantadora Camila?

CAMILA.  Huy, encantadora, ¿qué querrá? Al juego que más nos corresponde a Petra y a mí por nuestra clase: a las damas. Pero a mí siempre me tocan las negras.

BERNABÉ.  Estás haciendo trampas. Se lo voy a decir.

CAMILA.  No estoy haciendo ninguna trampa. *(La hace.)* Estoy tomando precauciones. Lo mismo que vosotros.

ARÉVALO.  ¿Nosotros?

CAMILA.  Sí. *(Otra trampa.)* Un juego en que no se puedan hacer trampas no es un juego: es una cacería.

BERNABÉ.  ¿Tú sabes dónde guarda Petra sus cosas?

---

[a] con Mario.

CAMILA. Naturalmente; mejor que ella, que anda siempre buscándolas. Como vosotros, hala todo patas arriba.

BERNABÉ. Pero, donde guarda las cosas importantísimas, ¿también lo sabes?

CAMILA. Ésas, más. Petra ni siquiera distingue cuándo una cosa es importantísima. *(Mueve fichas.)*

ARÉVALO. Se va a dar cuenta.

CAMILA. Estoy poniendo las fichas como las dejó. Con las trampas que le había hecho me ganaba ella a mí. Tadeo, haz el favor de dejar ese caleidoscopio. Qué tabardillo. A lo mejor se cree que es un salchichón y se lo come. *(Por una ficha.)* Ya no me acuerdo dónde estaba ésta.

BERNABÉ. *(Tentador.)* Te doy lo que me pidas si me encuentras unos papelitos.

CAMILA. ¿Los ha perdido Petra? Qué cabeza. *(Entra* PETRA. *Pone un disco en el gramófono.)* ¿Cómo está?

PETRA. Estupendamente. Hecho un sol. *(Tararea.) (Sube la música.)*

BERNABÉ. ¿Música en este trance? ¿No será demasido?

PETRA. Si es música clásica. Y en trances como éste es cuando hay que animarse. *(Se acerca repentina al damero y se come tres fichas de* CAMILA.) Tras, tras, tras.

CAMILA. Asquerosa. Para que luego digan que hago trampas. Si no las llego a hacer te comes el tablero.

PETRA. *(A* TADEO, *que está apuntando con el caleidoscopio a* ARÉVALO.) Que no es una escopeta, tonto. Se mira por aquí. ¿Te gusta? Gíralo despacito. Así, así. *(*TADEO *sigue mirando por el caleidoscopio. Y, de vez en cuando, irá a enseñar a alguien lo que ve, asustándolo generalmente.)*

ARÉVALO. Baja el gramófono que va a venir la guardia a llamarnos la atención.

PETRA. Pero, ¿no eres tú el jefe?

ARÉVALO. Uno no está seguro de nada en esta situación.

PETRA. Nunca ha sido mejor.

BERNABÉ. No sé. El sucesor puede elegir otra Petra Regalada y mandarte a ti a freír espárragos. Te convendría que no viniera nadie, que nos quedáramos nosotros, los de antes. *(Un ruido exterior de altavoces, que se va aclarando.)*

ALTAVOZ. Ciudadanos...

BERNABÉ. Silencio. Otro parte.

ALTAVOZ. Es voluntad de la divina providencia...

PETRA. Ya estamos. De rodillas.

ALTAVOZ. ...conservarnos la vida de nuestro prócer, cuya salud velamos todos junto a su amante esposa y atribulado hijo.

PETRA. Lady Pum, atribulada, sí, sí.

ALTAVOZ. El egregio enfermo mantiene sus facultades mentales en perfecto estado. Se han registrado cambios de temperatura. Sistema cardiorrespiratorio, normal. Motilidad intestinal, buena.

PETRA. O sea, que se sigue ciscando en todos.

ALTAVOZ. Las autoridades están dispuestas a garantizar, a toda costa, el orden y la seguridad no permitiéndose las reuniones de más de tres personas, salvo las rogativas que se organicen en los locales de la iglesia, para suplicar al Altísimo que custodie la vida de nuestro insustituible protector. (DON BERNABÉ *cierra el ventanal y deja de oírse el altavoz.)*

PETRA. *(A* CAMILA.) Venga. (CAMILA *mueve una ficha.* PETRA *le come dos.)* Tras, tras.

CAMILA. Hija, qué ordinaria eres. Siempre juegas para ganar. Contigo no cabe la afición.

PETRA. *(A los viejos que siguen buscando.)* Me estáis poniendo el cuarto que parece un camión de mudanza. Esperad por lo menos que se muera Don Moncho. ¿Qué buscáis?

ARÉVALO. Una cosita.

PETRA. ¿Con qué letrita?[32].

---

[32] Gala introdujo este mismo juego infantil antes en *Noviembre y un poco de yerba.*

ARÉVALO.   Con la pe.

PETRA.   *(Riéndose.)* Huy, con la pe. Serán desconside-
rados... *(Señalando a* CAMILA.) Aquí está la cosita.
(CAMILA *le golpea la mano.*)

BERNABÉ.   No, con la pe de papeles.

CAMILA.   Yo ya no soy puta.

PETRA.   ¿De qué papeles?

BERNABÉ.   De los que te entregó Don Moncho llenos
de falsos testimonios.

ARÉVALO.   *(Ante la cara de sorpresa de* PETRA.) ¿No te
acuerdas?

PETRA.   *(Riendo.)* Ah, ya... Sí, lo que es falsos...

BERNABÉ.   *(Sigiloso.)* Oye, ¿se referían a otros miembros de la junta, aparte de nosotros?

PETRA.   A todos. Me extraña muchísimo que no os es-
tén ayudando a buscarlos.

BERNABÉ.   Desde el sopitipando en la Junta cada cual
va a lo suyo.

ARÉVALO.   Y dice Don Bernabé que, estando los documentos en nuestras manos, podremos, cumplidas las
condiciones sucesorias —¿es así?— hacernos nosotros
dos con el mando.

BERNABÉ.   ¿No te dijo también Don Bernabé que no lo
contaras, majagranzas?

PETRA.   Por lo pronto los documentos los tiene menda
lerenda[33]. Y el testamento de Don Moncho, también.

BERNABÉ.   Eso sí que no. Lo guardo yo en mi notaría.

CAMILA.   *(En lo suyo.)* ¡Dama!

PETRA.   No lo dirás por ti. *(A* BERNABÉ.) Yo guardo
uno de su puño y letra con fecha posterior.

BERNABÉ.   Cerdo granuja.

PETRA.   ¿No ves que os conocía? Pues sí que no has
falsificado tú actas de defunción y testamentos.

BERNABÉ.   Porque él me lo ordenaba.

PETRA.   Ja. Todos los papeluchos se los voy a dar yo a
mi amor en cuanto se despierte.

---

[33] *Menda lerenda:* expresión de argot con la que el que está hablando
se refiere a sí mismo.

CAMILA. *(Comiendo fichas.)* Tras, tras, tras, tras, tras, tras. ¡Gané!

PETRA. Qué basta, comiendo a dos carrillos. En mi vida he visto una persona tan fulera como tú.

ARÉVALO. *(A quien ha asustado* TADEO *apuntándole por la espalda con el caleidoscopio.)* Dile a tu protegido que se esté quieto con el canuto ése[a].

BERNABÉ. Enséñanos siquiera los papeles.

PETRA. Seguid buscándolos y yo os digo «frío» o «caliente» *(Intenta enseñar a* TADEO *el manejo del caleidoscopio.)*

CAMILA. *(Bebiendo.)* Antes, cuando se moría un hermano mayor, dábamos por el torno a los que venían vasos de limonada y estampas con cien días de indulgencia. Barriles de limonada.

PETRA. Y barriles de indulgencias. Pero tú, ¿a cuántos hermanos mayores has visto morirse?

CAMILA. A siete u ocho. Yo soy muchísimo más vieja de lo que te figuras.

PETRA. Si supieras lo que me figuro, no dirías eso. Lo que estás es borracha.

CAMILA. Y sucedían portentos. Cuando se murió el antepenúltimo se paró ahí *(señala),* ahí mismo, un cometa rojo así de grande, y el agua de la fuente del jardín salía también roja. Y cuando se murió el anterior, en Zaragoza en 1723, cayo una granizada de abalorios[34]. Abalorios preciosos, de todos los colores. Caían y caían. Hasta un metro de altura, por lo menos. Yo me hice este collar.

PETRA. *(A los que buscan.)* Frío como el agua del río. *(A* TADEO, *que le muestra lo que él está viendo en el caleidoscopio.)* Sí, sí, qué bonito. *(Se lo devuelve.* TADEO *gruñe porque ha cambiado la imagen. Sacude el caleidoscopio.)* No se mueve así, Tadeo; no es una batidora. *(Se acerca a* CAMILA. *Le coge el collar.)* Podías

---

[a] No está Sansón para tijeras.
[34] Véase la introducción.

haberme guardado una sopera de abalorios. *(A* BER-
NABÉ.) Frío, huy, helado mantecado.

ARÉVALO.   ¿Y yo, Petra?

PETRA.   *(De espaldas, sin mirar.)* Tibio. *(A* CAMILA.)
Y, ¿por qué no hacemos limonada por si viene la gente al torno? Don Monchito debe estar al caer.

CAMILA.   Qué va. Mi Moncho no se muere. Ése es capaz de todo.

PETRA.   Y tan de todo: hasta de morirse.

CAMILA.   Cómo puede cambiar tanto la gente. Si tú lo
hubieras visto... Los ojos se le perdían por aquí atrás.
Las almendras, di tú que son una simpleza compara-
das con ellos. Y andaba como si no quisiera hacerle
daño al suelo. Qué guapo. Y me miraba... No me tocó
nunca, eso no. Pero cómo me miraba.

PETRA.   Porque tú serías de mírame y no me toques,
lagartona. *(Ríen.)*

BERNABÉ.   Escucha, Petra: te hemos devuelto al muchacho; hemos hecho lo que nos has pedido. ¿Por qué
no nos das esos papeles de nada?

PETRA.   Porque si Don Moncho sale de ésta nos perde-
mos todos, con papeles y sin papeles. Y si no sale, ¿para qué los queréis?

ARÉVALO.   Para tener trincados a todos los demás.

PETRA.   ¡Qué sería de este pueblo con vosotros dos
campando a vuestras anchas!

BERNABÉ.   Tú sabes, Petra, hija... *(Por* TADEO, *que lo
perturba.)* ¿No puedes decirle a este hermoso chiquillo
que se salga de la habitación? Tú sabes que nosotros
hemos sido unos meros mandatarios. Con un único defecto: el mismo que tú: no haber tenido voluntad para
oponernos a su[v] tiranía. Nada más. Pero había que vivir. ¿Qué se podía hacer aquí? Él era el poderoso. No
habríamos conseguido más que destruirnos: dar coces
contra el aguijón es un vano error. (CAMILA *comienza
a recoger el juego de damas, murmurando.)*

ARÉVALO.   Yo no he hecho más que poner mi firma,

--------
[v] la.

Petra, tú estás al tanto. Y eso cuando aprendí a firmar, que fue más bien tarde.

PETRA.   Entonces, ¿por qué no hicisteis con el «tirano» lo que ha hecho Mario?

BERNABÉ.   ¿Y qué ha hecho?: ¿dejarse dar dos tortas? [e].

PETRA.   Sublevar a la gente, convencer a la gente, enfurecer a la gente.

ARÉVALO.   Bueno, nosotros ya se la dejamos bastante enfurecida.

BERNABÉ.   En cuanto se muera Don Moncho, impondremos un cambio radical. Democratizar las instituciones... Porque las instituciones no están corrompidas: lo malo ha sido su manipulación. Deponer, frente a los supremos intereses del pueblo, cualquier mira personal. No cejar en el alcance de la justicia social, de la cultura, de la liberalización...

BERNABÉ.   En cuanto a ti, querida jovencita, podrás quedarte en el convento de dueña y señora. Con tus rentitas, con tu acompañante que siempre será menos aburrido que nosotros.

ARÉVALO.   O tomar el portante si te sale del pitiminí. Con quien te dé la real gana. Libre, rica como si no hubiera pasado nada.

PETRA.   Como si no hubiera pasado nada, y ha pasado mi vida... Lo mejor de mi vida y lo peor: toda mi vida. Eso sí que ya no tiene arreglo, se muera quien se muera. Porque quien de verdad se ha ido muriendo durante estos treinta años he sido yo. Él estaba ya muerto. Y vosotros también. ¡Fuera! ¡Fuera! El pueblo ya no es vuestro. *(Movido por el gesto de ella,* TADEO *golpea con el caleidoscopio a* ARÉVALO *y a* DON BERNABÉ, *y lo rompe.)*

BERNABÉ.   Qué cruz.

CAMILA.   Tadeo, Tadeo. *(Simultáneamente.)*

ARÉVALO.   Memo, pero cabrón.

PETRA.   Se jodió el invento. *(Tiene el caleidoscopio roto en las manos.)* Con las horas que yo me habré pasado

---

[e] Falta la segunda pregunta.

mirando por este agujero. Era como una astronauta yo. Me iba, canuto alante, arriba, arriba, olvidada de todo, viendo estrellas fugaces y el arco iris y un vaivén de colores. El ojo de la cerradura del paraíso era esto para mí. *(Acaricia a* TADEO *que se ha quedado compungido al verla entristecerse.)* Así somos. Todos como Tadeo: lo que no comprendemos, lo rompemos de un golpe. *(Aparece* MARIO. *Va hacia él.)* Mi amor, ¿por qué te has levantado? ¿Por qué no me llamaste?

MARIO.    Te oí gritar.

ARÉVALO.    Mire usted, don Mario, nosotros no hemos sido malos con nadie. Aquí su señora doña Petra se lo puede decir. *(Entra* CAMILA.*)*

MARIO.    *(Mirando a uno y a otro.)* ¿No? ¿Y las expropiaciones indebidas? ¿Y el reparto de los fondos públicos? ¿Y los favoritismos para compensar? ¿Y la venta de los permisos de importación?[e] ¿Y las concesiones de obras adjudicadas a ustedes mismos? ¿Y la modificación de los planes de urbanismo para su beneficio?...

PETRA.    ¡Cómo habla, Camila! Hasta Tadeo se ha quedado con la boca abierta.

CAMILA.    Ése siempre. Pero habla muy bien, sí.

MARIO.    Déjame decirles a estos señores que su turno ha pasado definitivamente y que están perdiendo el tiempo aquí. *(A ellos.)* Qué incómoda es la duda, ¿verdad? Después de haber tenido tanto tiempo la fuerza en una mano y en la otra a Dios, qué incómodo no saber con quién está Dios y quién tiene la fuerza. Benditas circunstancias han hecho a Petra Regalada árbitro de esta situación. Ella tiene en sus manos la posibilidad de echaros encima la justicia del pueblo. Un[v] pueblo que habéis mantenido encarcelado tras murallas de amenaza, de indignidad y deshonor. (CAMILA *aplaude.* TADEO *escucha.* MARIO *saluda levemente.)*[v] Con los

---

e Falta esta pregunta.
v El.
v En V Petra interviene aquí dos veces, diciendo «¡Camila!».

documentos que el cacique fue acumulando y que, según acabo de oír, Petra conserva…

PETRA. *(Interrumpe, sorprendida.)* Aquí nadie necesita documentos para hacerse justicia, Mario. No tienen más que destapar sus llagas, su fatiga, su abandono, y ponerse a gritar.

MARIO. *(Desde arriba.)* En un país civilizado son los jueces quienes administran la justicia. Y en orden, con acusaciones y pruebas. Si no, parecería una venganza.

PETRA. Pero es que en un país civilizado los jueces no se bajan los calzones como éste. Cariño: el papeleo que éstos buscan tiene valor para ellos, para los que montaron el tinglado, para sus tretas y sus zancadillas. Entre ellos y entonces. Ahora, ya no. Llegas tú, amor mío, y no. Empieza otra canción. *(Embalada.)* Ellos tuvieron su justicia —horrendísima, pero suya porque la habían comprado—; ahora nosotros tendremos la justicia de todos. Sus chantajes y sus tejemanejes no sirven ya.

CAMILA. Bien habla el sacristán, pero no le va en[v] zaga el monaguillo. Petra Crisóstoma[35] te deberías llamar, Jesús.

ARÉVALO. *(Por* PETRA.) Qué graciosa.

BERNABÉ. Muy graciosa y muy bien educada.

PETRA. *(A* MARIO.) Vamos a bailar, vida mía, que para algo tenemos la conciencia tranquila.

MARIO. *(Desasiéndose.)* No sólo hay que tener razón moral, Petra, sino razón jurídica.

PETRA. Tú baila, dueño mío. *(Bailan.)* Si los que antes condenaron a la pobre gente van a ser los mismos que condenen ahora a estos grullos no adelantamos nada. Te lo juro. Aunque los condenen. (*A* CAMILA.) ¿Hacemos buena pareja?

CAMILA. *(Dando unos pasos con* TADEO.) Después de nosotros, la mejor.

PETRA. A la mierda, que los dejen disfrutar lo que ro-

---

[v] a la.

[35] Referencia a San Juan Crisóstomo, padre de la Iglesia conocido por su elocuencia.

baron. Son otros jueces, no otras víctimas lo que nos hace falta. Si no, daría igual que pactaras con estos verracos.

BERNABÉ. *(Siguiéndolos en su baile.)* ¿Y por qué no, después de todo? Por favor... por favor... ¿Pueden ustedes detenerse un segundo? Me falla el resuello. (MARIO *se detiene y lo escucha.)* Nosotros aportamos la continuidad, la experiencia, el respeto de quienes no desean incertidumbres, y un buen dinero, tan adecuado para echarse a andar.

PETRA. *(Reiniciando el baile.)* ¿Quién dice andar? Si nosotros ya estamos bailando, calcomanía.

MARIO. *(Arrebatado por* PETRA.) Un torturado nunca podrá pactar con sus torturadores.

PETRA. Ellos no entienden frases tan sublimes. Lo que quiere decir es que no usáis las palabras que él usa: ilusión, esperanza, vida, amor. El día de mañana no es que vaya a cambiar algo el de hoy, no: va a ser nuevo y en blanco. *(A* MARIO.) Ningún recuerdo, ni uno solo, ni de hoy ni de ayer. Sólo habrá ya[e] mañana y pasado mañana. La vida empieza ahora, ahora, ahora. ¿Me confundo?

MARIO. No, no.

CAMILA. *(Llorando.)* ¿Cómo te vas a confundir? Y yo sin valorar a esta Castelara[36].

PETRA. Cuando me había acostumbrado a estar muerta, apareciste tú. Me llamaste a grito pelado fuera de la tumba. *(Va dándole besos.)* Éste por haberme traído lo que no tuve nunca. Éste por haberme traído lo que ya ni siquiera deseaba tener. Éste por haberme traído lo que no imaginaba que existiera. Y éste, el más gordo, por haber venido, aunque no me hubieras traído absolutamente nada. *(Se besan.)*

CAMILA. *(A los viejos.)* Para que os enteréis de lo que vale un peine.

ARÉVALO. En nuestra época no habló nunca tan bien.

---

[e] Falta «ya».

[36] Referencia a Emilio Castelar (1832-1899), gran orador político.

CAMILA.    Porque no la dejasteis, tapabocas, pasamon-
tañas, amordazadores. (MARIO *hace un gesto de silen-*
*cio, va hacia el ventanal y lo abre.* PETRA *para la músi-*
*ca si la hay.)*   .

ALTAVOZ.    Con profundo pesar informamos que el Ex-
celentísimo señor don Ramón María López Agudín y
López Martos [37] acaba de fallecer. Desde la misma tristeza, en esta hora dolorosa, elevemos todos, sin distin-
ción de clases sociales, hermanados e identificados en
la aflicción, una oración por su alma.

(*Un silencio.* PETRA *se abraza más estrechamente a*
MARIO. *Alarga su mano hacia* TADEO. *Los viejos*
*se miran indecisos.* CAMILA *va como arrugándose.*
*Unas campanas doblan a muerto. Un repentino cla-*
*mor popular deshace el silencio y las campanas co-*
*mienzan a tocar a gloria.)*

ARÉVALO.    Los de ahí fuera no saben a qué carta quedarse.

BERNABÉ.    Ni nosotros.

MARIO.    Enhorabuena. ¿Oyes la voz del pueblo?

PETRA.    ¿No voy a oírla? Camila, trae champán.

CAMILA.    Yo no quiero champán. Yo no quiero alegrarme. No sé cómo fue él con los demás. Pero yo, desde
que me recuerdo, he comido su pan y he vivido debajo
de este techo.

MARIO.    ¿Y no podías [v] aspirar a otra cosa que a comer
y vivir bajo techado?

PETRA.    Estamos hablando de tirar murallas y tú hablas
de paredes.

CAMILA.    Yo ya no tengo edad de libertades.

PETRA.    Vivan las caenas [38].

--------

[v] podrías.

[37] En nuestra entrevista el 31 de mayo de 1980, Gala dijo que en este nombre hay una especie de intención crítica contra el esnobismo.
Los nombres *Ramón María* recuerdan al escritor Ramón María del
Valle-Inclán, y el uso repetido del apellido *López* puede ser una alusión
a varios López del Opus Dei que formaron parte del gobierno al principio de los 70.

[38] *Vivan las caenas:* grito del populacho que quiso expresar su apoyo

CAMILA.   Esta mañana se me presentó la corona de bui-
tres dándole vueltas a la chimenea. Y no supe por
qué...

PETRA.   No es por él por quien lloras, Camila Camilona. Es por ti. Siempre se nos va un poco de nuestra vida cuando se mueren los que la compartieron, aunque
no fueran buenos.

CAMILA.   Está bien, como sea. Yo no quiero alegrarme.

BERNABÉ.   Pues yo sí.

ARÉVALO.   *(Decidiéndose.)* Yo, también.

CAMILA.   Y no traigo champán, que además no me gusta. *(Va* PETRA *por champán.)*

BERNABÉ.   *(A* MARIO, *mientras* TADEO *no deja de saltar influido por la alegría de los otros.)* Ahora es como
si usted fuera de la oposición. O nosotros, si lo prefiere: ser de la oposición siempre es más cómodo. Supongo que debemos darnos leal y jubilosamente la mano.

ARÉVALO.   Vamos, vamos, pelillos a la mar.

MARIO.   Ustedes podrán echar a la mar los pelillos que
quieran, pero yo no veo tan clara la razón de su júbilo.
A mi entender, la duda persiste.

CAMILA.   *(A gritos.)* Era cierto. Es cierto. Está ahí en el
jardín. ¿Quién le habrá cerrado tan mal los ojos? Lady
Pum o nadie, por eso habrá venido el alma mía. Yo se
los cerraré. *(Sale.)*

MARIO.   El anuncio de su muerte acaso no sea más que
un truco para que acudan sus secuaces y reorganizar-
los[v][39]. Y si su muerte es cierta, como dice Camila, no
comprendo qué hacen aquí en lugar de estar preser-

---

al rey Fernando VII cuando éste, en el año 1814, volvió del destierro y
restableció el poder absoluto. (Véase Iribarren, pág. 473.)

   [v] reorganizarse.

   [39] Es tema frecuente que el dictador no está muerto de veras. En
*Las hermanas de Búfalo Bill* de Martínez Mediero, es el fantasma del
hermano que sigue dominando a las mujeres. En *El otoño del patriarca*
de Gabriel García Márquez, la primera vez que «muere» el dictador,
no es él, sino su doble. El título de la novela de Fernando Vizcaíno Ca-
sas. ... *Y al tercer año resucitó* implica, desde otra perspectiva política, la inmortalidad de Franco.

vando sus puestos y ventajas. Se lo advierto con el mayor desinterés.

ARÉVALO.  Pero, ¿no íbamos todos a ser libres? ¿En qué quedamos?

PETRA.  *(Que entra con el champán.)* Eso somos nosotros, sinvergüenza. Esta gente se apunta a un bombardeo.

MARIO.  Nuestros puntos de vista han de ser contrapuestos, si no... *(A* BERNABÉ.) Por descontado, no es un plato de gusto llegar a casa del tirano y encontrárselo vivo y lleno de cólera: ése es el primer riesgo que han de correr ustedes. A fuerza de mangonear sin cortapisas, se les han oxidado las meninges.

BERNABÉ.  En favor de la veracidad del deceso, yo diría que la gente está alterada. Se oye...

MARIO.  Ése es el segundo riesgo: la hora de las víctimas.

ARÉVALO.  Pues estamos entre la espada y la pared.

MARIO.  En efecto, salvo que elijan otra solución, que yo llamaría nunca con más exactitud, «in artículo mortis». Huir. Escapar de Jericó sin volver la cabeza.

PETRA.  Yo prefiero bailar. *(Baila con* TADEO, *que lo hace muy torpemente y ríen con estridencia.)*

ARÉVALO.  ¿Y nuestra familia? ¿Y nuestra fortuna?

MARIO.  Ustedes, tal como son, no tardarían en rehacer familia y fortuna en cualquier sitio. No hay un rincón del mundo, por desgracia, donde los canallas no se ayuden entre sí.

BERNABÉ.  Quememos el último cartucho, amigo Arévalo. Seamos leales hasta el fin, puesto que no nos queda otro recurso. Vamos donde nuestro deber y nuestra honra nos llaman.

ARÉVALO.  ¿Dónde?

BERNABÉ.  A la cabecera de nuestro venerado Jefe.

ARÉVALO.  Sí, pero, ¿quién es ahora?

BERNABÉ.  *(Por* PETRA, *que continúa bailando.)* Los líderes son, sin duda, más comprensivos que las bases. *(A* MARIO.) Espero que nos volvamos a encontrar en más beneficiosa coyuntura. Los líderes siempre nos entendemos. Entretanto *(Por* ARÉVALO), como dijo este sabio, pelillos a la mar.

ARÉVALO.   Adiós, adiós.

BERNABÉ.   *(A* PETRA.) Adiós y que dure la danza. (PETRA *se detiene)* [a].

MARIO.   Hasta pronto. *(Salen los viejos.)*

PETRA.   ¿Por qué hasta pronto?

MARIO.   Van a volver en seguida meneando el rabo y corriendo, no detrás de los infelices esta vez, sino delante de ellos.

PETRA.   ¿Qué va a pasarles?

MARIO.   No te preocupes. Sólo un susto. El pueblo tiene consignas de no ejercer ninguna violencia. Los he echado de aquí porque el convento goza del derecho de asilo y en este burladero se encontraban a salvo esos mihuras. Cuando les den la carrera del señorito se convencerán de quién manda ahora. *(Un leve gesto de engreimiento.)*

PETRA.   ¿Y quién manda?

MARIO.   *(Apeándose del leve gesto.)* El mismo pueblo. Él es el soberano de su propio destino.

PETRA.   *(Cogiendo con una mano a* CAMILA *que entra con un pañuelo ante la cara y con la otra a* TADEO.) Mario, míranos. Míranos bien. Una vieja moqueante y desahuciada. *(Acaricia a* CAMILA *que solloza.)* Ya. Camila Camilona, ya... Una irresponsable que no sabe ni bailar, ni mirar por un tubo. Una pindonga a la que tú le has devuelto la esperanza. Aquí nos tienes. Míranos. ¿Crees que somos soberanos de nuestro propio destino? Ni siquiera habíamos oído hasta ahora esas palabras. ¿Cómo aprenderemos a serlo? ¿Cuánto tiempo nos llevará? Tengo miedo, Mario. Más que antes, porque antes no tenía qué perder. Me dan ganas de pedirte que huyamos nosotros, no ésos. Yo no quiero que nadie persiga a nadie. No me gusta jugar más [e] al ratón y al gato. ¿Por qué no somos todos lo

---

[a] PETRA.   Chao.

[e] Falta «más».

mismo: ni gatos, ni ratones: personas, y corremos juntos, a la vez, hacia alante?...ᵛ Juntos y alegres. *(Arre-
cia el llanto de* CAMILA *que niega en silencio.)* ¡Hija!

MARIO.    Todo lo que se consigue es con esfuerzo; hasta
con sangre a veces.

PETRA.    ¿Por qué empezar a ser feliz haciendo daño a
alguien?

MARIO.    Tú no tienes los pies en el suelo, Petra.

PETRA.    Dale con Petra.

MARIO.    Lo que pretendemos crear no brota de la nada,
no se improvisa: se apoya en lo que había. Si es malo,
hay que rectificarlo. Si es bueno, aprovecharlo. Precisa-
remos el protocolo del notario, el armamento del alcalde, los archivos del arcipreste, los libros del Regis-
trador de la propiedad.

PETRA.    ¿Y entre esas cosas no volverá disfrazada la
peste?

MARIO.    La vida no puede detenerse. El cambio que
deseamos no puede ser un terremoto.

PETRA.    Pues, ¿no es un terremoto lo que destroza las
murallas?

MARIO.    Eso es un símbolo. *(Tiende la mano.)* De ahí
que te pida los papeles del tirano que tú guardas.

PETRA.    Si no guardo ninguno. ¿Por qué me los iba a
dar a mí? Él tenía sus bancos, sus cajas fuertes. ¿Quién
era yo?

MARIO.    O sea, que tú no tienes...

PETRA.    Nada. Pero los engañé. Bueno, se engañaron
ellos que van por la vida con la mosca en la oreja y los
dedos hechos huéspedes⁴⁰. (*Ante la seriedad de* MA-
RIO.) ¿No te hace gracia?

MARIO.    *(No muy rotundo.)* Sí... Es igual.

PETRA.    Claro. Abrázame. *(Lo abraza. Ruido creciente del pueblo. Entran despavoridos* DON BERNA-
BÉ *y* ARÉVALO.)

---

ᵛ adelante.

⁴⁰ Frases hechas que expresan sentimientos de desconfianza y suspi-
cacia.

BERNABÉ. ¡Socorro! ¡Auxilio!

ARÉVALO. *(Casi a sus pies.)* Ten compasión de nos-otros, Petra Regalada. Salva a tus seguros servidores que estrechan tu mano.

PETRA. ¿Ahora queréis que os salve? Qué putos sois.

BERNABÉ. La jauría está amotinada.

PETRA. ¿Quién la desamotinará? El desamotinador que la desamotine...

ARÉVALO. Deja los trabalenguas para luego.

CAMILA. *(Desde el ventanal.)* Se acercan. ¡Qué gran-dioso! Es como una tormenta. (TADEO *aúlla excitado.)*

PETRA. *(Poniendo el oído en el suelo.)* No, es como una manada de caballos salvajes[41]. Tadeo, no me dejas oír. Ya saldrás cuando llegue la hora.

BERNABÉ. *(En trance.)* ¡Asilo político! ¡Pedimos asilo político!

MARIO. *(Que ha contemplado la escena desde arriba.)* ¿Os dais cuenta de quién tiene ahora las riendas?

PETRA. Para que veáis: no hay mal que cien años dure.

ARÉVALO. ¿Tanto? A esa gente con media hora le basta.

MARIO. Calmaos. El convento es sagrado. Como una arca de la alianza.

PETRA. Tampoco hay que pasarse...

CAMILA. *(Jubilosa.)* Hoy sagrado, gracias a Dios, no hay ni el «tantum ergum sacramentum»[42]. Yo reconoz-co la manera de rugir de mi gente.

PETRA. A lo mejor vienen a pedir limonada y estampas de indulgencias.

CAMILA. No. Así rugen cuando tienen hambre. Es su hora de cenar.

BERNABÉ. Van a lincharnos a todos.

PETRA. A todos no, hijo mío, a vosotros dos.

---

[41] Otro dramaturgo andaluz, José Martín Recuerda, utiliza la misma metáfora en su obra *Caballos desbocaos* (Madrid, Ediciones Cátedra, 1981).

[42] *Tantum ergo sacramentum:* frase de un himno religioso que se utiliza en grandes solemnidades.

CAMILA. *(Interrumpiéndoles, entusiasmada.)* Están pisoteando los arriates del jardín. No van a dejar títere con cabeza. Estaría de Dios.

PETRA. *(Gozosa.)* Ay, mis treinta y siete variedades de flores.

CAMILA. ¡Matan a los faisanes! ¡Apedrean a las palomas!

PETRA. Qué maravilla. Esto no había sucedido jamás. *(En este escándalo, se acerca MARIO a los ventanales para dirigirse al pueblo. Le oímos apenas gritar: «Amigos, compañeros, camaradas».)*

MARIO. *(Volviéndose.)* No atienden. No escuchan.

CAMILA. Como que cuando este pueblo se poner a chillar va a callarse para que le hable nadie. Menudo es él. Para un día que puede... *(Por TADEO.)* Éste está como el jopo de un chivo. El baile de San Vito parece que le dio.

PETRA. ¿Ahora quieres bailar Tadeo, guapo? Pues, venga, venga, venga. *(Ella baila.)*

MARIO. Si siguen avanzando nos aplastarán a todos sin discriminaciones.

PETRA. No hay nadie que los frene. ¡Qué bien! Cuesta creer que, siendo tantos, uno sólo los haya tenido tan sujetos. Digo yo, Mario, que verán bien el lazo rojo que puse en la ventana. ¿Te acuerdas? Lo de la zurriburri de la Biblia...

MARIO. No están para recuerdos, ni para lazos rojos. Yo sólo encuentro una salida.

BERNABÉ y ARÉVALO. ¿Cuál? *(Van al lado de MARIO.)*

MARIO. Purificarse de la vieja levadura para ser masa nueva. Entregarles a estos dos.

BERNABÉ. La jerarquía tiene frases para todo. *(Por PETRA, yendo a su lado.)* Las bases son mucho más comprensivas.

ARÉVALO. Petra Regalada tú no tendrás una sangre tan gorda.

CAMILA. Eso no sería más que un aperitivo.

PETRA. Las leyes de la hospitalidad son inquebrantables. Verán el lazo rojo.

ARÉVALO.   A morir se ha dicho.

CAMILA.   ¿Y si nos disfrazáramos?

PETRA.   Ay, sí, ¿De qué?

CAMILA.   De gente, ¿de qué va a ser? Salimos por la puerta de atrás y nos reunimos con ellos. Que encuentren el convento vacío y lo disfruten.

MARIO.   Eso sería perder la batalla definitiva. Cuando estamos tocando el triunfo con los dedos no podemos abandonar. Veo otra solución. Extrema, pero la veo.

PETRA.   Tú dirás, amor mío. A mí, a tu lado, no me importa un comino morir. Hombre, me gustaría más vivir contigo, pero si no es posible...

BERNABÉ.   Déjense ustedes de romances, caramba, y piensen en nosotros. *(Él y* ARÉVALO *corren de un lado para otro.)*

MARIO.   En todos pienso. Lo que propongo va contra mis principios. No soy partidario de engatusar al pueblo con carismas que lo desvían o adormecen...

ARÉVALO.   Abrevie, coño, que se encaraman a las rejas.

CAMILA.   Las canales, por las canales suben. Por las enredaderas. Qué agilidad, señor.

MARIO.   Decía que extinguido un carisma maléfico, el del tirano, me dolería tener que emplear otro. Pero no encuentro más remedio. *(Solemne.)* Debe salir en procesión la Petra Regalada.

BERNABÉ.   Sí, señor, brillantísimo.

ARÉVALO.   *(Al mismo tiempo.)* ¿Así se achantarán? Pero, ¿cómo sabrán que es la Petra?

BERNABÉ.   Por el manto, zoquete. El gran manto bordado.

CAMILA.   Marranos egoístas, de ninguna manera. La matarán. En lo que las Petras tienen de historia, que es toda la de esta noble villa, sólo tres veces han salido de aquí: por la peste, por la guerra y por una sequía de quince años y medio.

ARÉVALO.   ¿Y te parece esto poca guerra?

CAMILA.   ¡Sí! ¡Sí! ¡Sí! Total: ¿qué es lo que pasa? ¿Que el pueblo va a cambiar esta noche de amo? Es normal y ya está acostumbrado: a amo muerto, amo puesto.

MARIO.    Se trata de que no haya ningún amo a partir de esta noche.

CAMILA.    Pues más a mi favor. ¿No hay ninguna catástrofe?, no hay excursión de Petra.

BERNABÉ.    Y, ¿no es una catástrofe que nos hagan picadillo?

CAMILA.    *(Inspirada.)* ¡No! Es una bendición del cielo. Que perezcamos todos en un baño de sangre será un final feliz. La sangre es el mejor detergente. Hemos formado parte de una época y debemos terminar cuando ella se termina. ¿Van a cambiar las cosas? Que cambien las personas también y que caigamos todos. Mártires. Muramos todos mártires. ¡Viva el martirio! ¡Viva! Al martirio. Al martirio. ¡Vivan los leones! ¡Viva!

ARÉVALO.    Que se calle o la mato. (BERNABÉ y ARÉVALO *se abalanzan sobre* CAMILA.)

PETRA.    Paz. Paz. Paz.

BERNABÉ.    Votemos si sale Petra o no. Una persona, un voto.

MARIO.    ¿Votar ahora, después de siglos de mandar ustedes? Ni soñarlo. *(A* PETRA.) ¿Qué opinas tú?

PETRA.    Yo ya no soy la Petra Regalada. Dejé de serlo por ti precisamente. Renuncié a lo bueno y a lo malo. Salir a la calle con el manto sería timar a los que tienen fe.

CAMILA.    El Señor habla por su boca inspirada.

MARIO.    Mucho después de apagarse, las estrellas siguen brillando a nuestros ojos. Tardamos siglos en dejar de verlas. Para hacer el bien, amor mío, cualquier camino es bueno.

BERNABÉ.    Sal, Petra.

ARÉVALO.    Petra, sal.

CAMILA.    ¡No! ¡No! *(Se deja caer al suelo.)*

MARIO.    Cariño.

TADEO.    *(Aúlla.)*

MARIO.    Hay que salvar al pueblo de sí mismo. Usa el

carisma secular de las Petras Regaladas. Si el pueblo está en la calle, su Petra tiene que estar con él. No frente a él, ni sobre él: con él.

PETRA.   ¿Y si me come? Camila dice que está hambriento.

BERNABÉ.   No te comerán, generosa.

ARÉVALO.   Si no sales, sí que te comerán. *(Entran por la ventana algunas piedras con las que juega* TADEO.*)*

PETRA.   *(Dudosa, a* MARIO.*)* ¿La mujer de la Biblia, qué hizo cuando el pueblo gritaba?

MARIO.   *(Inventando.)* Rajab salió al encuentro del pueblo de Israel.

PETRA.   El de las putas es un destino que ya, ya. *(Decidida.)* Camila, trae el manto.

CAMILA.   *(En un verdadero ataque.)* No, no. ¡Jamás! ¡Eso jamás! ¡Que te matan!

PETRA.   *(Muy natural.)* Haz el favor de no ser pertinaz. En ausencia del hermano mayor soy yo la que decide. ¡Pronto!

CAMILA.   *(Como si nunca se hubiese opuesto.)* Va. *(Sale.)*

MARIO.   Cuando se calmen, yo les hablaré.

PETRA.   No creo que tengas ocasión. Es muy posible, casi seguro, que te esté mirando por última vez. *(Muy cerca de él.)* Gracias por tus ojos, por tu boca, por las palabras de tu boca. Gracias por haberme tocado con tus manos. Esos infelices te necesitan más que nunca. No esperes. Sal por la puerta de delante y llévate a Tadeo. Cuida de él. Sólo os tengo a los dos. *(Acariciando a* TADEO *en la frente.)* Se ha acostumbrado a que unas manos le acaricien así por las noches. Recuérdalo. *(Toma una mano de* MARIO *y la pone sobre* TADEO *que se estremece.)* Pienso que, sin eso, no querría vivir. *(Toma la otra mano de* MARIO *y la pone sobre su rostro.)* Ni yo tampoco. En el fondo, no ha estado mal la vida. Merecía la pena llegar hasta aquí por conocerte. Donde sea —¿a qué sí?— donde sea, nos veremos cuando pase esta noche y amanezca. *(A* TADEO.*)* Hijo mí... *(A los dos.)* Hijos míos... *(A* CAMILA *que viene* *con el manto.)* Buena suerte, Camila. Tenías razón: no es mal momento para terminar. Dame. *(Mientras se pone el manto.)* El lazo rojo no ha servido de mucho. *(A* MARIO.) Si hubiéramos sobrevivido, lo habrías llevado tú, no como quien se nos impone, sino como quien se ama. Qué mal usamos los signos del amor. Adiós a todos. *(Ha terminado de colocarse el manto, solemne y gloriosa como una Virgen andaluza. Los viejos se arrodillan instintivamente.* CAMILA *enciende un gran cirio. Muy lentamente* PETRA *da la vuelta y va hacia los ventanales precedida de* CAMILA *y* TADEO *que da gritos de gozo. Las voces exteriores se hacen inteligibles. Van repitiendo: «La Petra Regalada», «La Petra Regalada». Hay como una ola de siseos y después un espeso silencio. De* PETRA *sólo vemos el manto.)*

BERNABÉ.  ¡Alabado sea Dios!

ARÉVALO.  ¡Sea por siempre bendito y alabado!

BERNABÉ.  Rosa mystica.

ARÉVALO.  Ora pro nobis.

BERNABÉ.  Turris Davídica.

ARÉVALO.  Ora pro nobis.

BERNABÉ.  Turris ebúrnea.

ARÉVALO.  Ora pro nobis.

BERNABÉ.  Domus áurea. (BERNABÉ *sube la voz poco a poco. El pueblo comienza a contestarle.)*

ARÉVALO.  Ora pro nobis.

BERNABÉ.  Foéderis arca.

ARÉVALO.  Ora pro nobis.

BERNABÉ.  Jánua coeli.

ARÉVALO.  Ora pro nobis. *(Con los brazos abiertos, triunfal,* MARIO *va también hacia el fondo. Y desciende la luz. Cuando la luz vuelve están en escena* PETRA, CAMILA *y* TADEO. *La arquitectura ha sido despojada, en su mayor parte, de terciopelos y accesorios.* CAMILA *guarda en baúles objetos, cortinajes, las fotografías con lazos de luto de los hermanos mayores muertos, etcétera.* PETRA REGALADA, *con una bata de casa, intenta terminar de vestir, de peinar, de componer, con poco resultado a* TADEO, *yendo y viniendo detrás de él.)*

CAMILA. *(Hablando sola, casi salmodiando.)* Me gustaría a mí saber qué sería[v] ahora de este *body*... Esa gente que entra y sale, aparte de marearme, me ha contaminado con su diabólica manera de hablar... Qué pena tan grandísima que los atilas de la otra noche no irrumpieran y nos descuartizaran a todos. Porque ella ahora está boyante con su novio, pero yo, sin un rincón, un puntapié en el abintestato y a la calle, después de haberme dejado en esta casa media vida. Qué media vida, dos y media por lo menos. Aquí he sido yo reina gobernadora. *(Por los fotografiados.)* Con vosotros. Qué majos erais. Ya no hay de eso. Gente hermosa con los cascos y las gafas, montados en vuestros coches, que daba gusto veros. Qué románticos. Y yo, qué envidiable y qué fastuosa. *(Tiene en las manos un tocado de antigua automovilista.)* Me dabais una vuelta por el jardín, montada y bien montada, con mis velos por la cara para que la velocidad no me arañase la piel. Magnolia amasada con canela. Ella nunca la tuvo. *(Mira a* PETRA, *provocativa.)* Y luego, ay, ay, he fregado y luchado con arañas, grillos, ratas, cucarachas... Qué casa: qué lujo de bichos. Ahora todo al garete; como en un baratillo, a los baúles. Apaga y vámonos. Se cierra el puesto. Cuánta desgracia. Con lo que esto ha sido, y ahora parece[v] un convento de verdad: qué porquería. Como si fuese necesario tirarlo todo para empezar nada. Renegada y maligna: eso es. Una renegada. Fuera las fotos, los terciopelos carmesíes, la molicie. Yo lo puse, sí, señora. Yo lo pedí a mis devotos. Cada bullón de terciopelo es una semana de mi vida, un beso, un achuchón y tentempié, una pieza de música y una copita de agua con anís. A ella, qué más le da. Meter mi vida en un armario o tirarla a la basura, ¿qué le importa a la desalmada? Me gustaría a mí saber...

---

[v] va a ser.
[v] parecerá.

PETRA. *(Harta.)* ¡¡¡Camila!!!

CAMILA. *(Dejando caer la foto.)* Qué susto.

PETRA. Haz el favor de callarte que me estás volviendo tarumba.

CAMILA. No estoy hablando contigo.

PETRA. Razón de más.

CAMILA. Estoy hablando con la que yo era.

PETRA. Pues habla más bajito.

CAMILA. Soy sorda y necesito alzar la voz, si no no me oigo. Y si ya no va a poder una ni hablar en esta casa, dímelo en seguida para que me tire por una ventana y me desnuque.

PETRA. No te pongas trágica, numerera. Y date prisa, que Mario está al llegar.

CAMILA. Mario, Mario, Mario. Valiente paparrucha.

PETRA. *(A* TADEO.*)* No te muevas tanto. El cuello, guapo, deja que te abroche el cuello.

CAMILA. Has puesto a Tadeo que da risa. Un mamarracho. ¿Qué te crees: que tiene cinco años?

PETRA. Yo lo encuentro resplandeciente.

CAMILA. Pues allá tú. Menos mal que no lo va a ver nadie.

PETRA. Lo va a ver Mario y lo va a ver todo el mundo. No se te mete en la cabeza que esto ya no es lo que era.

CAMILA. ¿Cómo que no se me mete en la cabeza? Lo que pasa es que no me sale. Qué sufrimiento. El tiempo corre, ya se sabe. Pero no al galope. Corre, pero permite hacerse a las novedades. Sin embargo, lo que es desde hace una semana...

PETRA. *(Infantil.)* Ay, Camila, qué feliz soy. ¡Casarme! ¡Yo, casarme! ¿Quién me lo iba a decir?

CAMILA. Desde luego, qué bochorno más grande. Hoy no se respeta nada, ni el sacramento.

PETRA. *(Arrobada.)* Vivir con mi marido y con mis hijos.

CAMILA. Como no te los manden por correo. Hijos, dice. Si tienes algo serán nietos.

PETRA. Envidiosa y sarcástica.

CAMILA. ¿Yo, envidiosa? ¿De qué? ¿Vamos a ver? He

tenido todo lo que he querido: hombres, dinero, fama y un aderezo de corales. Ya no me queda más que morirme en paz. Y que me pongan mi mortaja que bien preparadita la tengo debajo de mi cama... Mi traje largo negro con un poco de cola, y mi velo, más largo todavía, de tul ilusión blanco con flores de azahar por aquí *(se señala la frente),* y un ramo de claveles reventones en seda rosa. Una mortaja como Dios manda. Nunca me gustó que me liaran en un sudario como a una solterona.

PETRA. Calla ya[e]. No mientes más negruras. Lloraduelos. ¿Qué hora es?

CAMILA. Las cinco van a dar.

PETRA. Darán cuando les toque, porque todavía no son ni las dos... *(Sacando un telegrama del pecho.)* Aquí lo dice: «Todo resuelto. Llegaré a las dos.» ¿Te enteras? A pesar de lo burra que eres, Mario y yo te queremos. Vivirás con nosotros. Te quedarás conmigo para los restos, y tomaremos un vasito de anís de cuando en cuando sin que nadie lo sepa.

CAMILA. ¿De cuando en cuando, qué es?: ¿cada media hora?

PETRA. Sí. Y Tadeo irá a una escuela donde le enseñarán de todo. Y me contestará cuando yo le hable. *(Coge la cara de* TADEO.) Con la boca, mi niño, con la boca. Con los ojos me has contestado siempre. *(Abrazándolos.)* Juntos, como antes, más que antes.

CAMILA. *(Mortificante.)* Yo ya no tengo gana ninguna de emprender otra historia. Y Tadeo, tampoco.

PETRA. Huy, cuántas cosas me quedan por hacer. *(Le da algo.)* Llévate esto parlona. Y tráeme los floreros y los pebeteros y los perfumadores.

CAMILA. No, si ni respirar va a poder una. Nos vamos a atufar.

PETRA. Un poquito de música. *(Pone el gramófono. Da unos pasos de baile. Va hacia una mesa.)* Su vino y su cigarro. *(Los pone.)* Esta sala la podemos dejar para

---

[e] Falta la oración.

recibir. Pero nuestro dormitorio lo voy a poner en la parte de abajo[v]. Donde hoy está[v], no quiero, no sería correcto: el desgraciado ha visto tantas cosas...

CAMILA. ¿Quién es el desgraciado?: el dormitorio o Mario. Porque lo que haya visto el dormitorio será lo que le quede por ver. Si no, carretera y manta.

PETRA. El nuevo dormitorio verá lo que ni tú ni yo hemos visto en la vida: el amor.

CAMILA. Los floreros. No, si acabarás creyendo que eres virgen.

PETRA. Cabrona. (A TADEO.) Déjame que te peine.

CAMILA. Qué pesada. ¿Por qué no lo dejas en paz? Peinate tú[a]. A ver si le causas a tu novio una buena impresión; que, si no, vamos a acabar los tres en el arroyo. O en prisiones militares, lo cual sería mejor.

PETRA. Todo resuelto: lo dice el telegrama. Ya no hay Petras, ya no hay putas, ya no hay monjas. El dinero de la Fundación, para las huerfanitas.

CAMILA. Y nosotras no somos huerfanitas, ¿o qué?

PETRA. Esta tarde llevamos el dormitorio al salón de arriba[e]. Muy sencillo. La cama sin ningún ringorrango: ni baldaquino, ni espejos, ni guarradas; la cama, un tocador, dos descalzadoras, los dos armarios grandes, un lavabo, dos mesitas de noche, una mesa camilla, tres butacas...

CAMILA. Y veintisiete cuadros. Sencillito. Pues no vais a caber.

PETRA. (A TADEO.) Y a la Dorotea la cepillamos para que el día de la boda dé gloria verla. Bien limpia, ¿eh?, como de fieltro blanco. Con una silla forrada de granate y unas bridas doradas y quitapones verdes.

CAMILA. Va a parecer ella la novia. Ten cuidado con adornarla tanto que no estás para comparaciones.

PETRA. Qué hacha tienes, salamanquesa. Da gracias a

---

[v] alante.
[v] Aquí.
[a] que da miedo verte con esos pelos y esa bata.
[e] Faltan las palabras «de arriba».

que hoy no te puedo pegar. Hoy es el día más feliz de mi vida.

CAMILA. *(Alocada.)* Ahora sí es él, bonita. Ahora sí. Un coche. Se ha bajado de un coche. Trae ese peine que te atuse un poco. Ay, qué nerviosa estoy. *(Besa a* TADEO *y a* PETRA.) Que todo sea para bien. Ay, qué dolor, ay qué alegría, ay qué todo.

PETRA. ¿Vas a llorar, imbécil?

CAMILA. Si es de felicidad, mujer. Pero tú, no. Que se te achican los ojos. Tú, no. Así, sonríe. Ponte esta flor. Qué guapa estás hija. Qué buena planta tienes. No he visto en mi vida una novia más alta, ni más limpia, ni más joven.

PETRA. Cómo se ve que no has visto ninguna. *(Buscando.)* Camila, pon en la cama esta noche la colcha... ¿Dónde la habré metido?

CAMILA. Aquí está. *(Se la da.)*

PETRA. Ponla, no se te olvide. Bendito sea Dios. *(La besa.)* Ay, ¿qué es esto? ¿Qué ven mis ojos? Un milagro, Camila. Con mi inicial han cruzado la de Mario. Mírala, mírala. (CAMILA *se echa a reír.)* ¿Has sido tú, sinsorga? ¿Cuándo la has bordado que no te he visto?

CAMILA. Por las noches, cuando tú te acostabas. Las pestañas he perdido bordando: bueno, no me quedaban más que cinco. Ya no tengo yo manos para agujas. Pero no ha resultado mal, ¿verdad?

PETRA. Qué buena eres, Camilona. La vida no habría sido sin ti la misma. Gracias. *(Entra* MARIO *con* ARÉVALO *y* BERNABÉ *que guardan una actitud respetuosa*[43]. ARÉVALO *sube un par de maletas y* BERNABÉ *una cartera de mano.)*

MARIO. Dejad eso, ahí.

PETRA. *(Se acerca y lo besa.)* ¿Has tenido buen viaje, cariño?

MARIO. No ha estado mal. No podemos quejarnos, ¿eh? (BERNABÉ *y* ARÉVALO *asienten.)*

---

[43] En la representación de Madrid, Mario entró vestido de traje, no con el jersey rojo de las escenas anteriores.

PETRA. Entonces ya soy libre. Ya me puedo llamar Dolores, Camila. Ya son ciertas las letras de la colcha. *(A los viejos, que bajan la cabeza.)* ¿No me dais la enhorabuena?

MARIO. Sí. Ya te puedes llamar Dolores. En un coche que hay abajo a la puerta ha venido conmigo la nueva Petra Regalada.

PETRA. ¡Qué guaja! Se ve que te han ido bien las cosas. «Todo resuelto», dice tu telegrama. *(Lo enseña.)*

MARIO. Y eso iba a responder. *(A los viejos.)* Lo dicho. *(A* BERNABÉ.) Camila, al asilo *(A* ARÉVALO.) El muchacho, a la Casa de locos.

ARÉVALO. *(Cogiendo a* TADEO.) Vamos.

CAMILA. *(A quien ha cogido del brazo* BERNABÉ.) Petra, ¿esto era?...

PETRA. Suéltala. Soltadlos. Es una broma, ¿no lo veis?

MARIO. No es una broma. Ya te advertí que las cosas no pueden cambiar a nuestro gusto. Hay que contar con todo lo que estaba hecho.

CAMILA. Éste era el día más feliz de tu vida.

BERNABÉ. Anda.

ARÉVALO. *(A* MARIO.) ¿Manda usted algo más?

MARIO. *(A* BERNABÉ.) Ve redactando los documentos de la transmisión. Los firmaré mañana. *(A* ARÉVALO.) Y que tus guardias vigilen bien unos días, hasta que se normalicen las cosas otra vez.

BERNABÉ. *(A* CAMILA.) Anda. *(Salen. Aprovechando la atención que* ARÉVALO *presta a* MARIO, TADEO *huye perseguido por él.)*

ARÉVALO. Me cagüen diez. Ven aquí hijo de puta. *(Sale tras él.)*

MARIO. Estarán los dos bien atendidos. *(Mirando alrededor como quien va a tomar posesión.)* ¿Por qué has cambiado esto?

PETRA. Para vivir.

MARIO. Esto es el convento de las Petras Regaladas, Dolores...

PETRA. *(Interrumpiendo.)* Dolores.

MARIO.   …No es una casa donde se vive[44], ni que se pueda cambiar a nuestro antojo. Las cosas son como son.

PETRA.   ¿Y cómo son?

MARIO.   Como se han ido haciendo. Yo no he inventado el mundo… *(Un breve paseo.)* Tendrás que dejarlo
como estaba. Tú te quedas, por supuesto, de fraila en
lugar de Camila. *(Se sienta como se sentaba al principio* DON MONCHO *y enciende el puro que dejó* PETRA.*)*
Baja y dile que suba a la muchacha que ha venido conmigo[v].

PETRA.   Entonces es verdad.

MARIO.   Sí, sí. Ya te lo dije: no se puede cambiar lo
establecido.

PETRA.   También me dijiste…

MARIO.   No me lo repitas. No compliques más la cuestión. Haz lo que te he mandado.

PETRA.   *(Con la colcha en las manos todavía, da unas
vueltas sin ton ni son, sin ritmo, en torno a* MARIO.
*Abre alguna ventana, la cierra, acaricia la colcha,
vuelca un florero, lo mira sin levantarlo.)*

Quien siembra, espera la mañana
luminosa de recoger.

Hay quien mata con la fuerza. Hay quien mata con palabras de amor. No importa… No importa.

Hasta el agua que nada espera
brota esperando alguna sed.

Ya me parecía a mí que la mujer aquélla, Rajab se llamaba, ya me parecía a mí ¿Cómo dijiste que acabó?

MARIO.   No lo sé. Olvídate de eso.

---

[v]  Baja y dile a la muchacha que ha venido conmigo que suba.

[44]  Las palabras de Mario recuerdan otras obras de Gala. Cleofás, al
final de *Los buenos días perdidos,* dice que su equivocación fue «vivir
en un sitio que no estaba hecho para eso». *Los verdes campos del Edén*
termina con esta oración del Guarda: «Ya les dije yo que aquí estaba
prohibido vivir.»

PETRA.   A pesar del lazo en la ventana. *(Lo desata. Lo deja sobre la mesa.)* Ya no hace falta. El día más feliz... Nunca más... Tenía quince años, esta colcha y un nombre. Y ahora... ¿Quién me puede explicar?... *(Suena un claxon.)*

MARIO.   Nadie, ni a mí. Baja.

PETRA.   Ya voy. Sí, era ciego el amor... Quién tire las murallas no puede venir de arriba, ni de fuera. Nunca más... «Hasta el agua... Hasta el agua...»

MARIO.   Baja, he dicho.

PETRA.   Sí. *(Va saliendo.)*

> Quien siembra, espera la mañana
> luminosa de recoger.

¿Dónde está la mañana luminosa? *(Ha salido. Casi de un salto, por el ventanal, entra* TADEO. *Toma el fajín rojo y estrangula a* MARIO *que queda como un reo de garrote vil. A los alaridos de* TADEO *van entrando todos. La primera* PETRA, *que se ha hecho cargo de lo sucedido y asume el homicidio. Aparta a* TADEO *y lo tranquiliza con sus manos.)* Gracias, Tadeo, gracias. *(Inmediatamente entra* ARÉVALO, *por el fondo. Por donde salieron,* CAMILA *y* BERNABÉ).

BERNABÉ.   *(Un silencio en el que* CAMILA *se acerca a* PETRA.) Petra, ¿qué has hecho?

PETRA.   Ya no hay Petra. Se acabaron las Petras Regaladas. Ahora sí que, por fin, soy Dolores. *(Tira la colcha sobre el cadáver de Mario.)*

BERNABÉ.   Pero, ¿qué es lo que has hecho?

PETRA.   Nada. Lo que debía. Destruir las murallas. Desatarme. Desatar a los míos. *(Yendo hacia* CAMILA *y* TADEO.) La vida empieza ahora, ahora... Ahora


TELÓN